Criando União

O SIGNIFICADO ESPIRITUAL
DOS RELACIONAMENTOS

Criando União

O SIGNIFICADO ESPIRITUAL DOS RELACIONAMENTOS

Compilado e organizado por
Judith Saly
a partir de material canalizado por
Eva Pierrakos

Tradução
CARMEN YOUSSEF

Editora
Cultrix
SÃO PAULO

Título original: *Creating Union – The Pathwork of Relationship.*

Copyright © 1993 The Pathwork Foundation, Inc.
Rt1 — Box 66, Madison, Virginia. U.S.A.

Copyright da edição brasileira © 1996 Editora Pensamento-Cultrix Ltda.

1ª edição 1996 (catalogação na fonte da 8ª reimpressão 2007).

18ª reimpressão 2024.

Todos os direitos reservados. Nenhuma parte deste livro pode ser reproduzida ou usada de qualquer forma ou por qualquer meio, eletrônico ou mecânico, inclusive fotocópias, gravações ou sistema de armazenamento em banco de dados, sem permissão por escrito, exceto nos casos de trechos curtos citados em resenhas críticas ou artigos de revistas.

A Editora Cultrix não se responsabiliza por eventuais mudanças ocorridas nos endereços convencionais ou eletrônicos citados neste livro.

Dados Internacionais de Catalogação na Publicação (CIP)
(Câmara Brasileira do Livro, SP, Brasil)

Criando União : o significado espiritual dos relacionamentos / compilado e organizado por Judith Saly a partir de material canalizado por Eva Pierrakos ; tradução Carmen Youssef. -- São Paulo : Cultrix, 2007.

Título original: Creating Union
8ª reimpr da 1ª ed. de 1996.
ISBN 978-85-316-0521-5

1. Canalização (Espiritismo) 2. Psicografia 3. Relações interpessoais I. Saly, Judith. II. Pierrakos, Eva.

07-1419 CDD-133.93

Índices para catálogo sistemático:

1. Mensagens psicografadas : Espiritismo 133.93

Direitos de tradução para a língua portuguesa adquiridos com exclusividade pela EDITORA PENSAMENTO-CULTRIX LTDA., que se reserva a propriedade literária desta tradução.
Rua Dr. Mário Vicente, 368 – 04270-000 – São Paulo, SP – Fone: (11) 2066-9000
E-mail: atendimento@editoracultrix.com.br
http://www.editoracultrix.com.br
Foi feito o depósito legal.

Autoria

Dois nomes aparecem na capa deste livro: Eva Pierrakos e Judith Saly. No entanto, o livro não foi escrito por Eva nem por mim. Eva foi o canal através do qual falou "o Guia", uma entidade espiritual de grande sabedoria que, no período de vinte e dois anos, nos forneceu farto material sobre a transformação espiritual. A mim coube a tarefa de reunir os ensinamentos do Guia sobre o tema dos relacionamentos, selecionar, organizar e editar o material, e apresentá-lo na forma de livro.

Agradeço os comentários e sugestões sobre a edição feitos por John Saly, Gene e Peg Humphrey, Susan Thesenga e Jan Bresnick, e a assessoria técnica prestada por Karen Millnick, Hedda Koehler e Rebecca Daniels.

Este livro é o terceiro volume de *The Pathwork Series* e foi encomendado pela Pathwork Foundation. Donovan Thesenga é o diretor responsável por esta série.

Judith Saly
Nova York
Outubro de 1993

Da parte do Guia

"Estas palestras destinam-se principalmente às pessoas que trilham o caminho do autodesenvolvimento intensivo, como o Pathwork. As palestras tratam de aspectos da alma que não são acessíveis para quem não está num caminho como esse. Elas terão uma repercussão interior que *ultrapassa* a simples compreensão intelectual e teórica do assunto.

"A compreensão total talvez só venha depois, quando os estratos da consciência tiverem sido penetrados. No entanto, todos os que trabalham seriamente no desenvolvimento pessoal acabarão sendo capazes de usar essas palavras de forma totalmente diferente dos que apenas lêem, mas não levaram a cabo o trabalho pessoal. A diferença é nítida.

"Quando não se tem a experiência interior do 'Sim, isto é verdade, isto me toca no mais profundo do meu ser', porque não se pratica uma forma vital de desenvolvimento pessoal, as palestras podem parecer apenas um material interessante, ou óbvio, ou um conjunto de tratados de longo alcance.

"O fato de estas palestras tocarem o mais íntimo do ser permite a transcendência, a compreensão profunda dos problemas.

"O auto-exame possibilita o acesso a novas camadas da psique. Minhas palavras visam atingir essas camadas que, libertadas, estarão aptas a absorver os meus ensinamentos."

SUMÁRIO

Da Parte do Guia..................................... 6

Eva Pierrakos, o Guia e o Trabalho do Caminho 11

Introdução... 13

Parte I: Princípios Cósmicos e Conceitos Psicológicos....... 19

Capítulo 1. O relacionamento 21
O plano da evolução; Relacionamento com todas as coisas e seres; A capacidade de se relacionar depende do nível de consciência; A busca de variedade nos relacionamentos; Manipulação; Os malefícios das expectativas inconscientes

Capítulo 2. Os princípios masculino e feminino no processo
criativo... 30
O funcionamento dos dois princípios fundamentais; O princípio masculino; O princípio feminino; Distorções das forças criativas masculina e feminina; Interação harmoniosa; O papel dos dois princípios em qualquer atividade; O equilíbrio dos dois princípios em cada um

Capítulo 3. As forças do amor, de Eros e da sexualidade 42
O significado espiritual da força erótica; A diferença entre Eros e o amor; O medo de Eros e o medo do amor; A força sexual; A parceria ideal do amor; A busca da outra alma; As armadilhas do casamento; O verdadeiro casamento; A separação; A escolha do parceiro; Eros como ponte

Capítulo 4. A importância espiritual do relacionamento........ 60
Desenvolvimento desigual de partes da consciência; Elementos de dissensão e de unificação; A realização como gabarito do desenvolvimento pessoal; Quem é responsável pelo relacionamento?; Interações destrutivas; Como alcançar satisfação e prazer

Capítulo 5. Reciprocidade: Lei e princípio cósmico........... 72
A reciprocidade como ponte; Como se aplica o princípio da reciprocidade ao atual estágio de desenvolvimento da humanidade?; O que impede a existência de reciprocidade entre os seres humanos?; As chaves do trabalho interior; Fluxo de energia e reciprocidade

Parte II: Como Descobrir e Vencer os Obstáculos a um Relacionamento Satisfatório **83**

Capítulo 6. O desejo de ser infeliz e o medo de amar........ 85
O desejo do domínio onipotente; A recusa da responsabilidade pessoal; O conceito certo do amor; O desejo de ser infeliz

Capítulo 7. O desejo válido de ser amado 92
A vergonha de desejar; A substituição do amor pela aprovação; Amor forçado; Dar liberdade; A disposição para o amor

Capítulo 8. Objetividade e subjetividade no relacionamento 100
A concentração nos defeitos dos outros; Duas medidas defensivas: rigor e idealização; Como evitar a crise do despertar; Descobrir em si mesmo a mentalidade da criança; Um ponto de vista abrangente

Capítulo 9. A compulsão para recriar e superar as mágoas da
infância. 107
*A falta do amor maduro; Tentativas de curar, na idade adulta,
a mágoa da infância; O efeito prejudicial dessa estratégia
sobre os relacionamentos; A reprise da dor da infância;
Como parar de recriar?*

Capítulo 10. A ligação da força vital às situações negativas. . . . 118
*A combinação de crueldade e prazer; A evolução é conseqüên-
cia da mudança interior; O "casamento" entre a corrente do
prazer e uma condição negativa; É possível juntar fantasia e
realidade; Dois tipos de culpa; A culpa pelo impulso sexual é
justificada?; Que tipo de culpa é justificado?*

Capítulo 11. A vida, o amor e a morte. 129
*O grande desconhecido; Três obstáculos básicos à auto-ex-
pressão; Por que não existe o instinto da morte?; O segredo
é a descoberta de si mesmo; O eterno agora*

Capítulo 12. Da interação negativa e inconsciente à escolha
consciente do amor 137
*Culpar os outros; A interação inconsciente; Não há divisão
na realidade máxima; Os efeitos positivos da honestidade; A
expansão para a percepção mais elevada; O amor é a resposta; A raiva saudável pode ser uma expressão do amor*

**Parte III: O Relacionamento na Era da Consciência
Expandida 151**

Capítulo 13. Fusão: o significado espiritual da sexualidade. . . . 153
*Fusão física, emocional, mental e espiritual; A sexualidade
reflete os problemas da alma; Existe conflito entre espiritualidade e sexualidade?; As origens da culpa sexual; Fusão total*

Capítulo 14. A nova mulher e o novo homem............... 170
 Visão geral histórica; O que há por trás dos estereótipos?; A
 mulher totalmente autônoma; O homem totalmente autônomo;
 A era atual é de mudança; Carreira e parceria

Capítulo 15. O novo casamento.......................... 180
 O casamento através das eras; O medo do poder da corrente
 unificada; Rumo ao êxtase místico; Um grande salto na cons-
 ciência coletiva; A meta final; O novo casamento de fusão e
 transparência

Notas sobre os textos..................................... 192
Relação de palestras do Pathwork 194
Para maiores informações sobre o Pathwork 201

Eva Pierrakos,
o Guia
e o Trabalho do Caminho

O material aqui reunido foi transmitido oralmente, e depois passado para a forma escrita. Eva afirmou que não era a autora das palestras, mas apenas o canal usado para a sua divulgação. O verdadeiro autor é um ser desencarnado que falava por meio de Eva quando esta entrava em estado de consciência alterada. Este ser nada diz sobre si mesmo — não há traços de personalidade, nem história, nem *glamour*. Como ele nem mesmo se nomeou, passou a ser conhecido como "o Guia". O material transmitido constitui as "palestras do Guia", e o processo de transformação pessoal propiciado pelos seus ensinamentos é conhecido como "o Trabalho do Caminho" (*Pathwork*).

O Guia deu ênfase total ao material transmitido, deixando de tratar da questão da sua fonte. Disse ele: "Não se preocupem com o fenômeno desta comunicação enquanto tal. A única coisa que importa entender é que existem níveis de realidade que vocês ainda não exploraram nem experimentaram, e sobre os quais podem, no máximo, teorizar... Lembrem-se de que esta voz não expressa a mente consciente do instrumento humano por meio do qual eu falo. Além disso, levem em consideração que toda personalidade humana tem um lado profundo do qual a pessoa em questão ainda pode estar inconsciente. Nesse nível profundo, todos possuem os meios para transcender os estreitos limites da personalidade e ter acesso a outras dimensões e a entidades possuidoras de um conhecimento mais amplo e mais profundo."

Eva ministrou 258 palestras do Guia sobre a natureza da realidade psicológica e espiritual e sobre o processo do desenvolvimento espiritual pessoal, de 1957 a 1979, quando faleceu. Nascida na Áustria, filha do famoso romancista Jakob Vassermann, Eva foi para os Estados Unidos em 1939. Em 1967, conheceu o dr. John Pierrakos, psiquiatra e co-criador de uma escola de terapia conhecida como bioenergética. Alguns anos depois, eles se casaram, e a fusão do trabalho de ambos resultou numa grande expansão da comunidade do Trabalho do Caminho. A rede de praticantes e mestres do Trabalho do Caminho compreende atualmente quatro grandes centros que ensinam o Trabalho do Caminho e grupos de estudo em muitas áreas urbanas dos Estados Unidos, da Europa e da América do Sul.

A organizadora deste livro, Judith Saly, também organizou a publicação de *The Pathwork of Self-Transformation* (Bantam, 1990) e escreveu *How to Have a Better Relationship* (Blue Cliff Editions, Ballantine, 1987). Ela estuda e pratica os ensinamentos do Pathwork desde 1958 e o ensina há vinte e cinco anos. Além disso, ela integra o grupo fundador do Phoenicia Pathwork Center e ocupa o cargo de presidente da Pathwork Foundation. Judith casou-se com John Saly em 1995. Eles têm três filhos e dois netos e alternam sua residência entre Nova York e Phoenicia.

Introdução

Se a vida é uma escola, o relacionamento é a sua universidade. É por meio dos relacionamentos, principalmente do relacionamento com o parceiro, que mais se pode aprender e crescer. Nascemos mulher e homem, e um anseia pelo outro, pois precisamos um do outro; precisamos unir-nos ao "outro" física, emocional e espiritualmente. Este anseio está incorporado ao código genético, e a busca do parceiro da vida ocupa uma posição central na vida humana.

Mas quantas vezes se vê um casal cujo relacionamento, depois de anos de convívio, continua cheio de vida? Quando se pode sentir harmonia e deleite? Quando a comunicação é ao mesmo tempo profunda e solta? Quando se percebe que cada um aceitou totalmente o outro, rendendo-se à força divina do amor? Quando as diferenças são encaradas como desafios para entender o outro mais profundamente, na certeza de que todos os problemas podem ser solucionados? Quase nunca.

Com base nas estatísticas, poder-se-ia concluir que, para muitos, a vida em comum é uma carga insuportável, e não o estado harmonioso que as pessoas esperam viver ao se casarem. E mesmo quando duas pessoas ficam juntas e continuam a se amar, há momentos em que se sentem frustradas, brigam ou se distanciam. Será possível superar essas dificuldades, cicatrizar as feridas?

A abordagem deste livro é muito diferente de outras obras sobre relacionamento. *O guia insere o conflito mulher-homem no vasto contexto das forças cósmicas*, iluminando-o a partir da elevada perspectiva de alguém que transcende a dualidade dos dois sexos. Desse ponto de vista privilegiado, ele também vê o interior de nosso coração e de nossa alma, em que há uma divisão interior. Ele mapeia a estrada que leva à auto-unificação e, dessa forma, à união feliz com outro ser humano. Seus ensinamentos são verdadeiramente singulares tanto no alcance como na praticidade.

A história dos relacionamentos de qualquer pessoa revela o seu panorama interior. A partir dessa história, podemos deduzir quais são as opiniões dela sobre a vida, o sexo oposto, o amor e a sexualidade em geral, o casamento e assim por diante. Se você aprender a olhar para si mesmo com honestidade e um certo distanciamento, conservando porém um vivo interesse, ficará surpreso com o que descobrir: você é o co-criador do estado atual do seu relacionamento — ou de sua ausência. As coisas não aconteceram de fora para dentro. Você não é uma vítima.

As pessoas gostam de acreditar que todo problema de relacionamento é provocado por circunstâncias externas ou pelo parceiro. Se o outro mudasse, como a vida seria perfeita! Esta, porém, é a maior de todas as falácias. Mesmo supondo que você seja um anjo e seu marido, mulher ou companheiro seja um demônio, não é você o responsável pela escolha do parceiro e pela decisão de continuar ao lado dele? Mas não estamos supondo que você seja um anjo. Nós — você e eu — sabemos que há realmente uma luz angelical no nosso íntimo, que podemos chamar de eu superior: um núcleo amoroso, solícito, altruísta e criativo. Mas também sabemos que existe uma camada menos atraente em volta desse núcleo divino: o eu inferior, egoísta, vingativo e desconfiado, responsável pelas muitas dores que sofremos ou que causamos aos outros, principalmente aos que nos são mais próximos. Sem conhecer esta camada, sem descobrir de que modo começou a existir, sem assumi-la, não poderemos transformá-la. Por maior que seja nosso empenho em fingir que essa camada feia não existe, por mais que tentemos ocultá-la, repudiá-la ou afastá-la por meio da meditação, ela não se dissolverá enquanto não a encararmos diretamente e começarmos a transformá-la conscientemente.

Na maioria das vezes, nem mesmo estamos cientes da existência desse eu inferior. O Guia nos ensina a ficar atentos. Não basta desenterrar a história de nossa infância e associar o relacionamento atual às primeiras experiências com o pai ou com a mãe, embora estas sejam muito significativas e forneçam muitas pistas. Também é preciso descobrir, no quadro de nossa alma, o eu inferior e seus efeitos. Sem olhar de frente o que menos nos agrada a nosso próprio respeito, não podemos entender por que não temos um relacionamento funcional e muito menos por que não conseguimos fazer uma mudança significativa.

Muitos problemas da área do relacionamento são provocados pelos sentimentos e pelos pensamentos ocultos no *inconsciente*. Esses pensamentos e sentimentos não-investigados têm uma lógica peculiar, errônea e infantil. Provocam conflitos na alma. Com a alma em guerra, como você poderia ter um relacionamento saudável com alguém? Os sentimentos e pensamentos contraditórios e não-resolvidos no eu precisam, em primeiro lugar, ser trazidos à luz. Mas como se faz para reconhecer os conflitos interiores e tentar resolvê-los?

As respostas estão no núcleo divino interior.

Quais as suas opiniões *inconscientes* sobre os homens ou sobre as mulheres? Quais são os seus sentimentos *inconscientes* sobre o amor e o casamento? Com a devida orientação, é possível descobrir. Quando o inconsciente se torna consciente, talvez você descubra pensamentos como estes:

"Se eu amar, serei ferido."

"Se demonstrar meus sentimentos, serei rejeitado."

"Casamento é escravidão."

"A felicidade não é para mim."

Essas "imagens" — como o Guia as chama — e outras semelhantes precisam vir à tona. "Você não saberá quais são as suas convicções pessoais ocultas enquanto não as fizer aflorar, com um inesperado sentimento de alívio. Pois os sentimentos inconscientes ou semiconscientes são como as profecias que se cumprem a si mesmas: você receberá aquilo em que acredita." Quem sabe o que espreita no inconsciente? Se seus relacionamentos passados obedecerem a padrões definidos, muitas vezes improdutivos ou até destrutivos, fixe para si a meta de averiguar por que eles vieram a existir e como você pode acabar com a compulsão de recriá-los.

Para ser capaz de examinar o que você, lá no fundo, realmente acredita sobre a possibilidade de encontrar o seu parceiro de vida ou de aprimorar seu relacionamento atual, é preciso aprender muita coisa sobre si mesmo, em todos os níveis do seu ser.

O Guia proporciona instruções muito práticas para a descoberta de si mesmo e para o trabalho de autotransformação — com ou sem a cooperação do parceiro, com ou sem a existência de um parceiro. Ele nos ensina *a sair de onde estamos para chegar aonde queremos estar*. O que ele nos apresenta não são exercícios superficiais, e sim métodos que implicam a disposição de abrir os olhos, de se olhar de frente com sinceridade e sem sentimentalismos, de trilhar o caminho espiritual. Esse compromisso proporciona grandes recompensas: desenvolvimento espiritual e psicológico, autenticidade, alegria. E delas decorre a capacidade de criar um relacionamento com um parceiro igualmente preparado para se relacionar, se revelar e retribuir.

Talvez você já tenha tentado colocar o outro em primeiro lugar, amá-lo incondicionalmente, ser paciente, nunca fazer ameaças, permanecer sempre calmo e amável. Essas nobres resoluções não duram muito quando são superpostas a camadas e mais camadas de conflitos não-resolvidos, não apenas com o parceiro, mas também no seu íntimo. Não há como sair pela tangente: *a transcendência é impossível sem a transformação*.

É por isso que quem deseja fazer mudanças na vida conjugal, encontrar a pessoa certa ou aprimorar de fato o relacionamento, precisa identificar *a raiz* dos problemas. Quando você se conhece e se aceita tal como é, incluindo o eu inferior, constrói com bases sólidas.

O Guia não dá conselhos superficiais, não diz para você sorrir para o seu parceiro quando você está fervendo de raiva; tampouco lhe diz para destilar essa raiva de forma prejudicial e destrutiva. Ao contrário, ele ensina você a atentar para todos os seus sentimentos sem descarregá-los na direção errada. Ele proporciona esclarecimentos espantosos sobre a natureza das forças feminina e masculina no universo, sobre o significado espiritual desse aspecto específico da sua existência dualista: o relacionamento. Você poderá empreender com segurança a jornada pela selva do território interior, pois será guiado na travessia das sarças e matas até o eu divino que existe no seu íntimo, e do qual emanarão, com a maior naturalidade e simplicidade, todas as respostas que dizem respeito especificamente a você. Você ficará sabendo que tem o poder de criar um relacionamento positivo, funcional e venturoso.

Ao ler as palestras, não procure apenas novas perspectivas para a mente: torne receptivo todo o seu ser. Imagine-se na presença de um ser cujo amor é maior e cuja sabedoria é mais profunda do que tudo o que já encontrou. As bênçãos dadas no início e no final de cada palestra trazem em si energia divina. Deixe que elas penetrem em sua alma.

J.S.

PARTE I

Princípios cósmicos e conceitos psicológicos

"E os dois serão um" — essas palavras, tantas vezes ouvidas na cerimônia nupcial, referem-se a muito mais do que ao início da vida em comum de duas pessoas. Trata-se de uma afirmação cósmica. "Dois" — a Dualidade — é a condição básica da nossa existência na terra, e "Um" é o estado de unidade do qual nos distanciamos e para o qual ansiamos por voltar.

Como o estado de dualidade é uma cisão da unidade — a união do paraíso —, ele contém a dor. Ansiamos por voltar ao estado perdido de total felicidade. A transformação daquilo que, dentro de nós, é a causa da separação, da nossa incapacidade de ter um bom relacionamento e permitir que o amor flua sem entraves, é a meta do trabalho do caminho do relacionamento.

Toda vida espiritual mostra o caminho que vai da auto-separação até a autodescoberta e, portanto, à descoberta de Deus. Os ensinamentos deste livro seguem antigas tradições esotéricas, que, no entanto, são modernas em virtude da aguda percepção da psicologia humana. A unidade contém tudo e, portanto, também os princípios divinos fundamentais da nossa dualidade terrena: as energias masculinas e femininas, das quais nós, homens e mulheres, somos a manifestação em carne e osso. O material canalizado na primeira parte do livro descreve esses princípios cósmicos e explica sua relação com o significado espiritual e a psicologia do relacionamento entre homem e mulher.

Dessa perspectiva maior, o esforço que fazemos para encontrar um parceiro no que diz respeito à afetividade, para manter vivo o amor e intensificá-lo continuamente, reveste-se de nova profundidade e dignidade. Pois, nesse empreendimento, a tarefa não se resume em superar o medo de deixar de lado a separação e reivindicar uma vida mais produtiva e mais feliz; também participamos da criação de um grande movimento cósmico, que é a evolução ulterior do universo. Nossa ânsia por uma união mais profunda no amor com o outro é irresistivelmente poderosa graças à sua importância cósmica. Aqui, vemos a ligação entre nossa vida individual e temporal e a realidade maior do que nos engloba.

Saber como funciona os princípios masculino e feminino no universo representará um enorme enriquecimento da compreensão da importância do anseio pessoal por uma união mais profunda no amor com o outro. Embarque nesse vôo de imaginação rumo a um novo espaço; seja um viajante cósmico, e volte com novos esclarecimentos e com renovada esperança.

J.S.

CAPÍTULO 1

O Relacionamento

Saudações, meus caros amigos. Dou-lhes as boas-vindas e a minha bênção.

"O que é a vida?" — eis uma pergunta que muitos fazem. *A vida é relacionamento, meus amigos.* Há outras respostas possíveis, e todas elas podem ser verdadeiras. Mas, acima de tudo, a vida é relacionamento. Quem não se relaciona de forma nenhuma não vive. A vida, ou os relacionamentos de alguém, dependem da sua atitude. É possível relacionar-se positiva ou negativamente. Mas, no momento em que alguém se relaciona, essa pessoa vive. É por isso que *a pessoa que se relaciona negativamente está mais viva do que aquela que se relaciona pouco.* Os relacionamentos destrutivos levam a um clímax que, em última análise, está destinado a dissolver a destrutividade. Mas o não-relacionamento, que, em geral, se disfarça como falsa serenidade, situa-se num nível inferior da escala.

Toda aflição da psique impede o relacionamento. A relação proveitosa só pode existir na medida em que a alma é saudável e livre. Mas, primeiro, é preciso entender mais profundamente o que é o relacionamento.

O plano da evolução

Lembrem-se de que *todo o plano da evolução trata da união, da junção das consciências individuais*, pois só assim é possível abrir mão da separatividade. A união com uma idéia abstrata, com um Deus intangível ou concebido como um processo cerebral, não é uma união verdadeira. Apenas o contato real de uma pessoa com outra estabelece, na personalidade como um todo, as condições que constituem os pré-requisitos da verdadeira união e unidade interiores. Portanto, esse impulso manifesta-se como uma grande força, atraindo uns para os outros, tornando a separação dolorosa e vazia. A força vital, portanto, é permeada desse impulso em direção aos outros, e também de prazer supremo. *Vida e prazer são uma coisa só.* A vida, o prazer, o contato com os outros, a união com os outros são a meta do plano cósmico.

Relacionamento com todas as coisas e seres

É costume associar a palavra "relacionamento" apenas a seres humanos. Mas, na verdade, esta palavra aplica-se a tudo, até mesmo aos objetos inanimados, aos conceitos e às idéias. Ela se aplica às circunstâncias da vida, ao mundo, a vocês, a seus pensamentos e atitudes. Na medida em que se relacionam, vocês não se frustram; ao contrário, sentem-se realizados.

O leque de possibilidades de relacionamento é muito amplo. Vamos começar com a forma menos desenvolvida que há na terra, o mineral. Como o mineral é desprovido de consciência, talvez vocês acreditem que ele não se relaciona. Isto é falso. Já que vive, ele se relaciona, porém seu grau de relação é limitado ao seu grau de vida, ou, mais corretamente, ele é mineral *porque* é incapaz de se relacionar mais. O mineral se relaciona, se deixa perceber e usar. Assim, ele se relaciona de forma totalmente passiva. A capacidade de relação de um animal é muito mais dinâmica. Ele reage ativamente a outros animais, à natureza e aos seres humanos.

A capacidade de se relacionar depende do nível de consciência

A escala da capacidade de se relacionar dos seres humanos é muito mais ampla do que até a mais ousada imaginação poderia conceber. Vamos começar com os seres humanos situados na porção mais baixa da escala: a pessoa totalmente insana que é colocada em confinamento solitário, ou o criminoso que não se diferencia tanto daquela. Ambos estão em retiro total, vivendo em isolamento exterior e interior. Dificilmente se relacionam com outros seres humanos. No entanto, como estão vivos, precisam continuar a ter algum tipo de relacionamento. Assim, relacionam-se com outros aspectos da vida: com as coisas, com o ambiente, mesmo que seja da forma mais negativa, com o alimento, com algumas funções corporais, talvez até mesmo com algumas idéias, com a arte ou a natureza. Seria muito proveitoso, meus amigos, pensar na vida e nas pessoas desse ponto de vista. Meditar sobre este tema será muito útil e ajudará a aumentar a compreensão de muitas coisas, para não falar da própria vida de cada um.

Agora, fazendo um contraponto, quero passar imediatamente para a forma superior de seres humanos. São as pessoas que se relacionam muito bem; que se envolvem profundamente com os outros; que não receiam o envolvimento; que não se armam contra a experiência e o sentimento. Portanto, elas amam. Elas aceitam o amor. *Em última análise, ter capacidade de amar sempre se resume à disposição e prontidão interna para amar.* As pessoas pertencentes a essa categoria não amam abstratamente e em geral, mas amam pessoal e concretamente, a despeito do risco. Essas pessoas não são necessariamente santas, nem perfeitas sob nenhum prisma. Podem ter suas falhas. Podem errar às vezes, e podem ter sentimentos negativos. Mas, no conjunto, elas amam, se relacionam e não têm medo do envolvimento. Libertaram-se de suas defesas. Essas pessoas, a despeito de eventuais decepções ou reveses, levam uma vida repleta de relacionamentos proveitosos e significativos.

O que é a vida para a pessoa comum? É uma combinação de numerosas possibilidades. Uma pessoa pode ser relativamente livre e relacionar-se bem em determinadas áreas da vida, e ser muito travada em outras. Apenas a profunda introspecção permitirá que você encontre a verdade a esse respeito. Quando um relacionamento parece bom mas carece de profundidade e de significado interior, é muito fácil enganar-se e dizer: "Vejam quantos bons amigos tenho! Não há nada errado com os meus relacionamentos, e, no entanto, estou infeliz, sozinho e vazio." Se este é o seu caso, não pode ser verdade que seus relacionamentos sejam bons, ou que você esteja realmente disposto a se relacionar. Você não pode se sentir sozinho e infeliz se tem relacionamentos autênticos.

Por outro lado, se o modo de se relacionar satisfaz apenas uma função superficial, o relacionamento pode ser agradável e divertido, mas um tanto superficial. O verdadeiro eu nunca se revela e, portanto, a pessoa não se realiza. Assim, ela também impede que os outros se relacionem e não lhes dá o que elas, sabendo ou não, estão buscando. A razão é o medo inconsciente de se expor, de permitir que os amigos venham a conhecer seus vários conflitos interiores. Quem não estiver disposto a solucioná-los não pode ter relacionamentos significativos — e, conseqüentemente, não se sentirá realizado.

A pessoa comum tem certa capacidade e disposição de se envolver e de se relacionar, mas não o suficiente. O intercâmbio e a comunicação ocorrem num plano superficial. Correntes inconscientes afetam as partes envolvidas e, se o relacionamento superficial for íntimo, mais cedo ou mais tarde provocará alguma perturbação. Se o relacionamento superficial nunca se tornar íntimo, nada acontecerá, e tampouco será possível manter a ilusão de que se trata de um vínculo verdadeiro. As tendências destrutivas inconscientes só podem ser desfeitas quando são enfrentadas e entendidas. Isto não prejudica a relação, pois, nesse caso, a comunicação ocorre automaticamente num plano mais profundo, e existe intercâmbio.

Muitas vezes vocês não sabem ao certo o que constitui um relacionamento profundo e significativo: o critério determinador é o intercâmbio de idéias ou o intercâmbio de prazer sexual? Na verdade, os dois podem estar presentes sem necessariamente tornar a comunicação muito profunda. O único critério verdadeiro é o grau em que a pessoa é autêntica, receptiva e não-defensiva; o seu grau de disposição em sentir, em se envolver, em se mostrar e expressar tudo o que realmente considera importante. Com quantas pessoas das suas relações você pode dar vazão às suas mágoas, necessidades, preocupações, anseios, desejos? Com muito poucas, talvez com nenhuma. A maior consciência desses sentimentos fará com que vocês possam encontrar mais amigos com os quais se abrir e cuja vida vocês sejam verdadeiramente capazes de entender.

Se alguém se esconde de si mesmo, como pode estar pronto a comunicar aos outros o que não ousa admitir no seu íntimo? A conseqüência é o isolamento e a insatisfação. É por isso que, no trabalho de autotransformação, empenhamo-nos tanto em fazer com que vocês aprendam a admitir a verdade para si mesmos. Só então poderão começar a ter relacionamentos verdadeiros em vez dos falsos, e levar uma vida plena. Mesmo a sua relação com outros aspectos da vida, como a arte, a natureza, as idéias, assumirá novas formas, muito mais cheias de vida, enquanto antes elas talvez tenham sido usadas como fuga dos sentimentos perturbadores.

A relação e a comunicação reais podem ser confundidas com a compulsão pueril de contar tudo a todos. Vocês correm o risco de revelar seus sentimentos indiscriminadamente e de se prejudicar, tomando equivocadamente essa tola honestidade, exposição imprudente ou "franqueza" cruel como prova de abertura e disposição para o relacionamento. Na verdade, trata-se de um mero disfarce, de forma mais sutil, do retraimento para um nível muito mais oculto. Assim, é possível criar uma "prova" de que não vale a pena se envolver.

Com a verdadeira autocompreensão e com a conseqüente liberação da prisão em que vocês mesmos se colocaram, suas revelações e seus relacionamentos não estarão sujeitos a deformações. Vocês, intuitivamente, escolherão a pessoa certa, as oportunidades certas e a maneira certa. Os eventuais equívocos que ocorrerem não os deixarão arrasados nem serão motivo para novo retraimento. Contudo, o processo de crescimento organizado e a liberdade são conquistas graduais, que só acontecem depois que vocês começam a trilhar a via do autoconhecimento.

Os psiquiatras muitas vezes diagnosticam as pessoas de acordo com a sua capacidade de se relacionar e com a profundidade e o sentido desses relacionamentos. Constatou-se que algumas das pessoas mais seriamente perturbadas aceitam ajuda com mais facilidade do que outras cujo distúrbio não é tão evidente, porque estas últimas podem enganar a si próprias e fingir que as coisas não são tão más, continuando a esconder-se da verdade interior. Este subterfúgio não está ao alcance dos mais perturbados que, conseqüentemente, chegam a um ponto em que precisam tomar uma decisão: encarar ou não honestamente sua vida íntima, sem ilusões. Essas pessoas também podem ser vítimas de um grave colapso, que retarda essa confrontação. Mas estão mais próximas do ponto de decisão — que talvez só atinjam na próxima vida — do que a pessoa menos neurótica que continua a esquivar-se ao exame de si mesma.

Muitos de vocês, meus amigos, não têm uma concepção clara do que seja realmente relacionar-se ou amar. Seu principal centro de interesse é o eu. Quando se voltam para o outro, o processo não é natural nem espontâneo, mas artificial e compulsivo. Porém, o interesse natural e a cordialidade para com o outro virão para os que perseverarem nesse caminho. Enquanto vocês não conseguirem admitir que são humanos e que precisam de ajuda para expor a própria vulnerabilidade, não poderão ter relacionamentos verdadeiros. Assim, a vida continuará vazia, pelo menos em algumas áreas importantes.

Agora vamos às perguntas.

PERGUNTA: A mudança no relacionamento e o desejo de ter muitos relacionamentos é uma manifestação saudável? E a busca de variedade e quantidade?

RESPOSTA: Esta é uma daquelas perguntas que não podem ser respondidas com um simples "sim" ou "não". Tanto a mudança de relacionamento como o desejo de variar podem indicar motivações saudáveis ou doentias. Muitas vezes, é uma combinação das duas coisas. É preciso cuidado para não cair na esquematização. O fato de um relacionamento mudar para pior não indica necessariamente uma recaída ou uma estagnação. Pode ser uma reação necessária e temporária à submissão doentia, ao desejo insaciável de afeto ou a qualquer outra compulsão neurótica unilateral. Antes de poder instaurar-se um relacionamento saudável entre duas pessoas ligadas por diversos fatores de desequilíbrio, uma agitação temporária como essa, externa ou interna, pode exercer a mesma função reguladora que uma tempestade elétrica ou um terremoto desempenham na natureza.

O fato de um relacionamento poder ou não tornar-se essencialmente livre e saudável depende das duas partes. A aparente tranqüilidade e ausência de atritos num relacionamento não indica necessariamente que ele seja intrinsecamente saudável e significativo. A resposta só pode ser dada por um exame aprofundado do vínculo e da sua importância. Não se pode generalizar. Quando duas pessoas crescem juntas em qualquer tipo de relacionamento — uma parceria, um caso de amor, uma amizade — elas passam por várias fases. Se ambas entenderem suas próprias motivações e comportamentos, e não apenas as motivações e comportamentos do outro, o relacionamento terá raízes cada vez mais fortes e será cada vez mais fértil.

A busca de variedade nos relacionamentos

Quanto à variedade nos relacionamentos, a resposta também depende da verdadeira motivação. Se o que move a busca é a impaciência e a compulsividade, devido principalmente ao medo, à cobiça e à ganância, devido à incapacidade de manter uma relação autêntica com qualquer pessoa, o que leva a suprir essa carência com uma série de associações superficiais, se a busca do outro é uma defesa contra a dependência ou o medo do abandono por parte das poucas pessoas com quem existe uma ligação mais profunda, não é preciso dizer que se trata de uma tendência doentia. Mas se a busca de variedade é a expressão de uma mentalidade livre, instigada pela riqueza das diferenças entre os seres humanos, sem visar o uso de um relacionamento contra o outro, ela é saudável. Muitas vezes, existem as duas motivações; mas, mesmo no primeiro caso, pode haver uma necessidade temporária de variedade, como reação a um estado de retraimento. Nesse caso, a busca de variedade pode ser um passo em direção à saúde. Uma manifestação negativa, muitas vezes, é uma indicação de uma fase positiva transitória.

Manipulação

PERGUNTA: Entre dois seres humanos que desejam relacionar-se mas são muito manipuladores, onde entra o elemento do verdadeiro amor? O amor elimina a manipulação?

RESPOSTA: Enquanto uma pessoa sente necessidade de manipular o outro, o que é uma medida protetora inconsciente, não pode haver verdadeiro amor. Os dois elementos se excluem mutuamente. Se examinarmos a falsa necessidade de manipulação, veremos que ela deriva do medo egocêntrico e do excesso de cautela em relação à entrega ao sentimento e à vivência. A manipulação impede o amor, mesmo que também possa haver certa dose de amor verdadeiro.

Se o amor for maior do que esse desequilíbrio, ele o sobrepujará e, assim, a relação será menos problemática. A resolução dos problemas só pode ocorrer por meio da compreensão. Nessas condições, o amor pode florescer. Mas quando existe escuridão, confusão e recusa em encarar a realidade, não pode haver amor. O fato de você amar não elimina, num passe de mágica, todas as correntes negativas e distorções, os conflitos e medos, as medidas defensivas inconscientes e a manipulação. Não é assim tão simples.

A capacidade de relacionar-se é, na verdade, fácil de ser avaliada: a vida exterior proporciona muitas pistas para quem quer vê-las. Quando o relacionamento é problemático, existem desequilíbrios inconscientes nas duas partes. Cada um, por seu turno, recrimina o outro, ou então chafurda na lama da culpa. Reconhecer que um erro não elimina o outro requer tempo e compreensão; todos os envolvidos são responsáveis por todos os problemas do relacionamento. Essa percepção sempre tem um efeito muito liberador, simplesmente porque é verdadeira. A verdade liberta da culpa e da necessidade de acusar, de culpar e julgar.

PERGUNTA: Às vezes, não é muito mais fácil relacionar-se com alguém que não é muito íntimo? O nível de críticas diminui.

RESPOSTA: Claro que sim. Isto apenas vem provar que não se trata de um relacionamento verdadeiro, mas superficial. Relacionamento verdadeiro significa envolvimento, e isso não quer dizer ver apenas os aspectos e movimentos negativos. Envolver-se significa arriscar-se por inteiro. A relação com envolvimento profundo é forçosamente sujeita a atritos, porque é muito grande o número de problemas não-reconhecidos e não-resolvidos dos dois lados. É por isso que cada atrito pode transformar-se num degrau ascendente, desde que a atitude seja construtiva. Não quero dizer que vocês só devam ter esses relacionamentos profundos. Isto seria impossível e irrealista. Mas deve haver alguns, todos diferentes, para que vocês sintam que a vida é dinâmica e frutífera.

Os malefícios das expectativas inconscientes

Para ser mais específico, quero acrescentar que as expectativas, as reivindicações e as exigências inconscientes podem causar um estrago nos relacionamentos. Não porque todas as expectativas sejam necessariamente "erradas", mas porque elas ficam latentes e provocam tensão nas duas partes, ao colidir com as exigências do outro. Além do fato de algumas dessas exigências não serem, de fato, nem justificadas nem razoáveis — e só é possível reconhecê-las como tais quando afloram — até mesmo as expectativas justificadas geram problemas quando não se tem consciência delas.

Quero finalizar com bênçãos muito especiais para todos os que ouvirem ou lerem estas palavras, para todos os que estão iniciando agora este trabalho, que já estejam nele ou venham a participar dele no futuro. Parto deixando com vocês o meu amor e a minha simpatia, e com a promessa de ajuda efetiva que terão na medida em que reconhecerem a resistência à percepção de si mesmos. Procurem ter disposição para admitir as racionalizações que separam vocês da verdade e da realidade interior, que impedem a passagem de vocês para uma vida significativa. E que vocês possam vir a saber que a vida é benigna. O fluxo da vida é contínuo e as razões para temer só existem na visão limitada de vocês. Quanto mais eliminarem os grilhões da cegueira que vocês mesmos se impuseram, mais vocês sentirão a verdade destas palavras. Sejam abençoados, fiquem com Deus!

CAPÍTULO 2

Os princípios masculino e feminino no processo criativo

Saudações, meus amigos. Envio a vocês as minhas bênçãos e o meu amor, para alcançá-los tão profundamente quanto vocês permitirem. Procurem aceitar e interiorizar essas bênçãos, esse amor.

Esta noite, eu gostaria de falar sobre elementos específicos do *poder universal criativo*. Todo ser humano possui e expressa esse poder. Mostrar o verdadeiro valor significa usar, de forma deliberada, consciente e proposital, o poder criativo *que a pessoa é* na sua dimensão mais íntima, e que emana dela. Com esse poder, vocês criam constantemente as circunstâncias de sua vida, mas de forma inconsciente, sem saber. Aquilo que vocês pensam e sentem, aquilo em que acreditam e o que concebem, o que secretamente desejam e temem, molda e determina a substância criativa e constitui a força motriz desse poder.

Que diferença enorme se verifica quando alguém cria o próprio destino deliberada e conscientemente, em vez de fazer isso sem saber! Com a criação inconsciente, vocês atribuem determinadas experiências a uma força obscura do destino. Suas experiências parecem ter pouco ou nada que ver com o que vocês são, com o que sentem, com o que desejam, com as suas crenças neste exato momento, ou com o que decidem fazer com seus pensamentos e sentimentos. No entanto, as pessoas realizadas sabem exatamente como criar sua vida.

É grandioso o momento em que a pessoa subitamente entende que não foi o destino hostil, mas sim os seus próprios atos que criaram os obstáculos e a infelicidade, e vê a atitude oculta que gerou o destino indesejado. Uma vez percebida a ligação de causa e efeito, o destino já não fica sujeito a uma força externa, cega e maléfica. A partir desse momento, a pessoa deixa de ser impotente. Na verdade, os seres humanos jamais são impotentes diante de qualquer força ou poder exterior: eles são impotentes diante de seus próprios processos interiores, até serem capazes de reconhecê-los e de mudá-los.

Este é o caminho. À proporção que descobrirem, no íntimo, a raiz da experiência negativa, vocês se tornarão capazes de transformar essa experiência. Para criar deliberadamente um destino positivo, é essencial conhecer mais sobre a força criativa do universo e como cada um pode usá-la.

O funcionamento dos dois princípios fundamentais

Há dois princípios fundamentais através dos quais opera o processo criativo: o primeiro é a *ativação*; o outro é o princípio que envolve a não-interferência e a *aceitação de que as coisas aconteçam*. Esses dois princípios criativos existem em toda a dimensão do universo e se manifestam em tudo na vida. Eles regulam tudo o que acontece, que seja desejável ou indesejável, importante ou desimportante, desde o mais ínfimo e corriqueiro acontecimento até a criação de um universo. Se se quiser que a criação seja construtiva, produtiva, alegre e agradável, é necessária a ação recíproca e harmônica desses princípios: um deve complementar o outro. Se o que se cria é algo destrutivo, doloroso, nocivo ou infeliz, algo que causa tristeza, os dois princípios também atuam; porém, nesse caso, foram distorcidos e não foram bem compreendidos. Em vez de se completarem, um interfere no outro. Em vez de os dois aspectos formarem um todo único, o dualismo faz deles dois opostos mutuamente excludentes, ou duas negações. Quando os dois lados da dualidade se reconciliam, duas forças aparentemente opostas trabalham juntas para atingir uma meta. A contraposição dualidade-unidade pertence a toda a criação: sempre que uma entidade é tirada de seu centro e, por conseguinte, fica em ignorância e erro, passa a existir a dualidade. Tudo o que se situa na esfera terrestre, em particular a consciência humana, está em estado de dualidade, e dessa forma todas as funções criativas perceptíveis são cortadas ao meio. O processo criativo também é afetado pelo estado dualista da consciência humana.

Os dois princípios fundamentais da criação, a ativação e a passividade, são leis universais presentes em tudo o que foi criado. Não são leis mecânicas, como a lei da gravidade. Todas as leis, mesmo as impessoais e físicas, passaram a existir a partir da consciência e por intermédio dela, e foram criadas pela combinação desses dois princípios fundamentais. A criação propriamente dita, com suas leis peculiares, constitui sempre uma expressão da consciência, pois toda a criação só pode ser uma conseqüência da consciência. Não importa se a consciência deriva de um cérebro, de determinada personalidade ou se é o grande espírito universal que permeia toda a vida. O princípio é o mesmo. A atitude consciente mostra se vocês ativam ou não, se vocês deixam como está ou não. Esses dois princípios e seus papéis merecem um exame mais pormenorizado.

O princípio masculino

Ativar significa que a entidade consciente reivindica, provoca, determina ou usa deliberadamente essas forças com uma determinada finalidade, movimenta-as ou aproxima-se delas, fazendo com que atuem e eliminando todos os obstáculos possíveis. Pôr em funcionamento as forças criativas implica esforço e empenho. É a conduta ativa. Podemos dar a ela o nome de princípio masculino na criação.

A atitude de "deixar as coisas como estão" significa receptividade e espera. Também é um movimento, pois tudo o que vive se movimenta; mas esse tipo de movimento é muito diferente do movimento do princípio ativador. O princípio ativador desloca-se para outro estado. O espírito que envolve essa atitude é de movimento interior; trata-se de um movimento pulsante e involuntário, ao passo que o movimento de ativação é deliberado e autodeterminante. As palavras são insuficientes para explicar esses fatos, e vocês precisarão ouvir com o ouvido interior, usar a imaginação e as faculdades mais profundas para entender o que estou dizendo.

O princípio feminino

A consciência que conserva a atitude de aceitação diante das coisas corresponde a esperar com paciência e confiança, a permitir que se complete o processo de amadurecimento, a entregar-se a uma força em movimento; podemos dar-lhe o nome de princípio feminino da criação. Como eu disse anteriormente, os princípios masculino e feminino existem em todo empenho, em todo ato criativo. O ato determinado e voluntário expressa a confiança em si mesmo e o conhecimento da própria natureza divina. Acompanhar as forças criativas, submeter-se a elas, expressa profunda confiança na vida e no estado de ser que exige apenas a quantidade íntima de movimento necessária para ativar os poderes em que se confia. Tudo o que funciona bem no universo, até as menores manifestações da vida terrena, combina *esses* dois aspectos de vida e consciência. Nada pode ser criado sem que ambos os princípios operem. *Nenhuma união entre os dois sexos pode ser plena sem que esses princípios operem conforme sua finalidade.* O prazer supremo é possível na medida em que essas atitudes são saudáveis, e na medida em que a confiança em si e na vida permite que ambos os aspectos se manifestem.

Os homens e as mulheres representam os dois princípios; diferem o arranjo, a ênfase, o grau, a proporção e a relação entre si. O homem saudável e integrado não representa exclusivamente o princípio ativador, e tampouco a mulher saudável e integrada representa exclusivamente o princípio de aceitação e passividade. Os homens e as mulheres precisam expressar ambos os aspectos, porém, a ênfase difere, como também diferem as áreas em que os dois princípios criativos se manifestam ou às quais se aplicam.

Depois que vocês começarem a pensar a esse respeito e olharem a vida com a visão levemente modificada que registra o funcionamento dos dois princípios, verão e compreenderão muito mais sobre a criação e os acontecimentos no mundo. Não importa se vocês criam uma empresa, um vínculo com outra pessoa, o seu próprio destino ou um universo: tudo depende do seu grau de compreensão e do uso harmônico que fazem dos princípios masculino e feminino da criação, e do seu grau de consciência dos dois princípios, para deixar que os dois lados se desenvolvam. Quando esses principios criativos são distorcidos e usados de forma errônea, eles criam confusão e desarmonia. O resultado é a destruição.

Distorções das forças criativas masculina e feminina

O homem não pode ousar ser totalmente homem e ativar a força criativa de modo deliberado e proposital quando seu inconsciente ainda está mergulhado em hostilidade, rancor e raiva, porque o princípio ativador, nesse caso, ameaça expressar esses impulsos destrutivos. Há na terra muitos homens, bem como mulheres, que ainda são subdesenvolvidos a ponto de não sentirem arrependimento por expressar os impulsos destrutivos. Eles não se preocupam com ativar o princípio masculino, mesmo que ele traga à tona as ações mais violentas e negativas. É apenas quando o desenvolvimento ocorre e quando a pessoa já não quer expressar violência ou destruição que ela passa a recear o seu princípio ativo e, conseqüentemente, a contê-lo. Esta é a razão pela qual não é possível ser totalmente homem ou mulher enquanto não se tem consciência das emoções e dos desejos negativos. Esses sentimentos, quando verdadeiramente encarados, perdem a força. Mas, enquanto a pessoa está inconsciente da sua existência, eles detêm o controle e forçam a agir sob a sua influência, mesmo que ela não saiba o que está fazendo nem por quê. Nesse caso, ela racionaliza ou volta essa agressividade contra si mesma, por medo de deixar o princípio ativo à solta, espalhando suas sementes de negatividade.

Assim, num estágio transitório de evolução, as pessoas se impedem de usar o princípio ativador, porque toda ativação se baseia no negativismo. Isto explica por que tantas pessoas ficam paralisadas, inativas e estagnadas. Por um tempo, elas se contêm para impedir o mau uso do princípio criador. Portanto, a ativação saudável, a auto-afirmação e a autonomia também ficam temporariamente contidas, à espera da liberação que vem quando a pessoa consegue pôr fim à dificuldade de lidar com a sua natureza destrutiva. As pessoas podem precisar passar por várias estadas no plano terrestre, onde as forças ativadoras devem ser suavizadas para não mais expressar a forma distorcida do princípio criativo da ativação.

Todos vocês precisam conhecer o seu lado oculto de crueldade, brutalidade, sadismo, sede de vingança e maldade, para aprender a superar de fato essas emoções destrutivas, encarando-as, entendendo-as e aceitando-as. Só então sobrevém a convicção autêntica de que não há razão para essa tendência à destrutividade. Enquanto esta não for encarada sem rodeios, a pessoa não terá nenhuma convicção e a autocompensação ocorrerá principalmente por medo de represálias ou de outras conseqüências. Só quando existe coragem e honestidade para ver e aceitar no seu todo as emoções e os desejos prejudiciais; só quando se é capaz de compreendê-los e avaliá-los completamente, é que se percebe, sem sombra de dúvida, que eles são supérfluos como defesas e não servem a nenhuma outra finalidade. À medida que esses sentimentos se neutralizam e já não é preciso ficar em guarda contra as reações espontâneas, a pessoa tem liberdade suficiente para ativar, dentro de si, o maior poder do universo. Esse poder já não atemoriza, pois está isento de contaminação, de perversão e de distorção. Nesse momento, vocês podem reivindicar seus direitos de nascença. Podem dar vida às suas próprias forças criativas.

Muitas vezes, uma pessoa está suficientemente livre de distorções destrutivas para poder usar com segurança seus poderes internos, mas o velho hábito de se conter está tão enraizado que ela, desnecessariamente, se abstém de usar o princípio ativador, sem saber ainda que pode usar esse poder com segurança. A tendência à destrutividade que ainda existe já não é perigosa, pois agora se tornou bastante consciente. A pessoa está alerta demais para deixar que a destrutividade reine e instigue ações negativas. O que ela ainda não sabe, porém, é que com esse mesmo poder capaz de controlar a agressividade restante ela também pode usar as maiores forças do universo, que se encontram no seu interior. Agora, tornando-se divina, ela pode usar o poder ativador para criar as circunstâncias à sua escolha.

Assim, precisamos distinguir entre os que corretamente refreiam a atividade criativa porque temem, com razão, seus componentes negativos, e aqueles que refreiam esse poder simplesmente porque não conhecem seu potencial positivo. Essas pessoas são como alguém que dormiu por um período muito prolongado e, ao acordar, precisa descobrir a força de todas as suas faculdades e o alcance de seus desdobramentos.

O princípio masculino é voltado para fora e leva à ação que tem conseqüências. A ação que se segue à força motriz ou ao ímpeto constrói, afeta, causa e determina ativamente. Quando a personalidade está totalmente ciente de que já não precisa das forças destrutivas e, portanto, já não tem medo delas, ela também começa a saber que pode criar. A essa altura, as pessoas descobrem seus poderes interiores e constatam que a mente pode ativá-los.

O princípio feminino da receptividade, de permitir que as forças ativadoras sigam seu caminho legítimo até o fim, fica distorcido quando a entidade recusa a responsabilidade pessoal. Se houver renúncia à auto-ativação e, em vez de se submeter aos poderes interiores ativados por si mesmos, se a pessoa se submeter à autoridade de outra, o papel do princípio feminino criativo é deturpado. Pelo mesmo critério, quando uma mulher abre mão de sua autonomia em benefício do parceiro, por ter medo ou por ser acomodada demais para assumir as conseqüências de seus atos, estamos diante de um arremedo ou caricatura da feminilidade. A submissão dela não é motivada pelo amor nem pela confiança nele; o objetivo dela não é vivenciar o êxtase da união dos dois princípios criativos nessa manifestação específica. Ao contrário, ela se submete a ele por medo da vida, recusando-se a assumir suas obrigações. Essa renúncia distorcida não pode trazer nada de bom para nenhum dos parceiros. Quando uma mulher quer ser um parasita e deixar para o parceiro o ônus das responsabilidades dela, está malbaratando a vida, mas a vida não pode ser malbaratada. A conseqüência é que o medo que ela sente da vida aumenta, bem como o medo do homem, que deveria representar a autoridade. A escravidão, provocada por ela mesma, também lhe causa medo. Assim, o princípio feminino, ou a feminilidade, muitas vezes é erroneamente associado a impotência, a passividade e a inferioridade, ao passo que o princípio masculino, ou masculinidade, muitas vezes é erroneamente associado a força bruta e a superioridade.

Na verdade, a mulher não pode ser verdadeiramente mulher enquanto não for capaz de autodeterminação. No contexto desta palestra, a mulher precisa confiar na sua individualidade ativando o princípio criativo que existe nela, pois só quando presta conta dos seus erros, quando se dispõe a aceitá-los e a aprender com eles é que ela pode ser forte e responsável por si mesma. Nesse momento, ela não terá medo da renúncia total, do abandono, do fato de deixar-se guiar por forças interiores involuntárias.

O homem, inversamente, não pode ser verdadeiramente homem enquanto não se liberta do instinto de destrutividade e enquanto não está disposto a aceitar que o princípio ativador trabalhe a seu próprio modo. Em outras palavras, ele precisa observar o princípio feminino para ativar totalmente o masculino, assim como a mulher completa precisa ativar o princípio masculino para entregar-se ao feminino.

Interação harmoniosa

Essa interação entre homem e mulher expressa de modo muito claro os dois lados do poder criativo. A união entre os sexos é satisfatória na medida em que os dois parceiros estão em harmonia *dentro*. Só quando essa condição é observada é que pode instaurar-se a harmonia *entre* eles.

O homem tem razão em ter medo das forças ativadoras enquanto permanece inconsciente de sua destrutividade e, portanto, é incapaz de controlá-la; a mulher tem razão em recear a submissão enquanto faz de si um ser impotente, sejam quais forem os motivos negativos desse fenômeno. Se ela não está de posse de seus poderes inatos, a entrega pode ser debilitante e perigosa. Como os homens e as mulheres expressam tanto o princípio masculino como o feminino, ambos precisam acabar com a violência e com a hostilidade de seus poderes de ativação. Ambos precisam aprender a se ver como causadores de tudo o que lhes acontece, em vez de pôr a culpa de seu sofrimento em fatores externos.

No decorrer do trabalho de um programa de autotransformação, tanto homens como mulheres deparam com padrões idênticos do eu inferior. Tomam conhecimento da falsa agressividade, hostilidade, violência, excesso de atividade, impaciência e recusa em esperar que os poderes cheguem à fruição no devido tempo. Também tomam conhecimento da falsa receptividade e da falsa entrega, ou seja, da negação da responsabilidade por si mesmo, da acomodação, da aceitação da linha de menor resistência. A tentativa de encontrar uma autoridade que assuma o que é, de fato, responsabilidade de cada um, é uma das formas de fugir à prestação de contas. Tanto homens como mulheres, portanto, precisam solucionar os mesmos problemas, porém sua interação se dá num plano complementar e não idêntico.

A realização pessoal não será possível enquanto vocês não se transformarem em homens e mulheres completos, na mais profunda acepção possível. É por esse motivo que os problemas humanos sempre dizem respeito primordialmente ao relacionamento entre os sexos. Independentemente dos outros problemas que vocês, seres humanos, possam ter, eles estão, no mínimo, indiretamente ligados à masculinidade ou à feminilidade. A expressão e a maneira de lidar com os princípios criativos masculino e feminino permeia toda a personalidade.

O papel dos dois princípios em qualquer atividade

Vamos tomar, como exemplo, um problema profissional. Como é possível ter êxito profissional se estiver faltando o princípio ativador ou se ele estiver entorpecido, e se vocês não forem suficientemente expansivos e saudavelmente agressivos, ou se bloquearem seus poderes criativos, em vez de ativá-los? E se vocês derem vazão às forças ativadoras que ainda são hostis e anti-sociais? Nesse caso, inevitavelmente teriam dificuldades com o meio, independentemente do seu grau de capacitação profissional. Se não houver espírito de amor, vocês não vão querer contribuir para a vida com o seu trabalho e por meio dele. Portanto, o trabalho não poderá ter nada de criativo e os poderes espirituais profundos não poderão manifestar-se. No entanto, se vocês quiserem enriquecer a vida, podem, com segurança, enriquecer a si mesmos através de sua atividade, sem falsos sentimentos de culpa com relação à agressividade *saudável*. A ativação criativa fará justiça às duas coisas — enriquecer os outros e a si mesmo de todas as formas possíveis.

E como aproveitar o que é ativado quando não se permite que o princípio criativo opere, aceitando as coisas, aguardando a fruição, confiando nas forças postas em movimento? Os poderes intuitivos de cada um só atingem a consciência quando, depois da ativação, reina o espírito receptivo da entrega. Nesse momento, vocês podem ser guiados pela mais elevada sabedoria, a da inspiração criadora, necessária em qualquer trabalho bem-sucedido. Ela também é formada por dois aspectos: a inspiração precisa ser deliberadamente ativada pela mente e deixada à vontade para fluir, para seguir seu rumo e manifestar-se à sua própria moda, sem interferência da mente.

As leis aqui mencionadas aplicam-se a todas as atividades. Quer vocês executem um trabalho subalterno, quer sejam artistas, cientistas ou qualquer outra coisa, a lei é a mesma, embora possa variar o grau em que esses princípios devem operar. O simples trabalho subalterno pode ser feito mecanicamente, com eficiência relativa, mas também pode ser um ato criativo, quando é feito com esse espírito. Entretanto, o trabalho artístico, científico ou espiritual jamais pode ter êxito se não seguir essas leis da criação.

Assim, o trabalho fracassa, como fracassam os relacionamentos humanos e as parcerias, quando os princípios masculino e feminino não interagem adequadamente, complementando-se. Não é preciso dizer que, em todas essas áreas, o relacionamento entre os dois aspectos da criação tem ênfase variável em determinados momentos ou fases.

Se um dos dois princípios funcionar saudavelmente, o outro também precisa estar adequado. É impossível que um seja saudável e que o outro apresente desequilíbrio. Conseqüentemente, o homem que tem um problema de auto-ativação em alguma área da vida mostrará, em outra, incapacidade de se soltar e de se deixar levar. Seria falso supor que o homem que não é suficientemente ativo e agressivo é assim em todas as facetas da sua personalidade. Inevitavelmente, ele descobrirá alguma área em que é excessivamente ativo, excessivamente masculino — exatamente onde o princípio feminino deveria predominar. O desequilíbrio é uma compensação da insuficiência de atividade que ocorre quando a pessoa deveria exercer, mas não exerce, sua força masculina ativadora. Por outro lado, o homem que manifesta exageradamente o princípio masculino abriga áreas em que é passivo demais e exprime o princípio feminino em desequilíbrio. Esses exemplos aplicam-se igualmente às mulheres.

O equilíbrio dos dois princípios em cada um

A manifestação dos princípios masculino e feminino na vida interior de cada um é uma parte substancial da realização pessoal. Ao trabalhar o eu, é preciso ficar particularmente atento a esses dois princípios. A verdadeira espiritualidade precisa fazer de vocês homens e mulheres mais completos no melhor sentido, em todas as dimensões da existência. O crescimento precisa, inevitavelmente, harmonizar essas dimensões. A forma e o grau de desequilíbrio existente variam de caso para caso e precisam ser averiguados individualmente, por meio da pesquisa interior.

Quando vocês verdadeiramente se tornam capazes de amar, manifestam esses princípios com perfeição. Ou, em outras palavras, *com a ativação deliberada do poder criativo no máximo de seu potencial, pois vocês já não temem a própria destrutividade e confiam que os poderes universais levarão a cabo, no devido tempo, aquilo que intencionalmente colocaram em movimento, desaparece o medo de entregar-se a um poder maior do que o voluntarioso ego-eu, e assim surge a capacidade de amar.* A partir daí, o que quer que vocês façam com esse espírito será algo criativo, e combinará os dois aspectos da criação. O desejo de entregar-se à vida nunca representará um risco de empobrecimento — pelo contrário. O homem amoroso ativa em si e na companheira um poder sublime cuja finalidade é enriquecer a ambos. Ela confia com razão no companheiro, o que justifica e dignifica sua entrega e fortalece sua individualidade. Renunciar ao ego determinante, para ela, será uma experiência desejada, que não deve causar medo; a ativação dele, então, passa a ser amorosamente enriquecedora para ambos. Isto é bem diferente do tipo de ativação que emana do homem pseudodominador. Este tem uma atitude que rebaixa a mulher para se engrandecer, e torna o medo de submissão dela justificado e razoável. Portanto, ele constitui um impedimento à realização dela como mulher.

A submissão da mulher amorosa intensifica no parceiro o domínio da auto-ativação. Ela incentiva a individualidade plena dele e não compete com a ativação, que já não representa uma ameaça. A receptividade dela não deve ser confundida com a passividade paralisada, que não passa de um desequilíbrio da feminilidade saudável. A atividade pulsante da alma em estado receptivo de deixar ser, o estado de ser, a entrega, é uma força vibrante que contribui para a masculinidade e para a força do parceiro.

Quando a entrega é uma decisão deliberada de abrir mão do princípio ativo, a uma determinada altura, porque a pessoa reconhece que outras faculdades precisam agora predominar, sente-se uma grande diferença. *O princípio ativador de vir a ser* faz com que as coisas aconteçam deliberadamente; *o princípio de ser* é autoperpetuante e involuntário; seus efeitos são indiretos.

O Pathwork exige a fusão desses dois aspectos. Eu gostaria de mostrar, agora, como ele funciona.

Não é possível superar obstáculos e acabar com a infelicidade, a menos que a personalidade, homem ou mulher, use o poder ativador. É necessário ativar deliberadamente esse poder, reivindicando o seu potencial e o seu direito de ser feliz. Tampouco se deve fugir do esforço de encontrar a causa da infelicidade em si mesmo. Em outras palavras, é preciso que a pessoa caminhe no sentido de corrigir os erros interiores e, ao mesmo tempo, que invoque deliberadamente a sabedoria superior e o poder profundamente enraizado no eu, para tornar esse esforço significativo. A mente traduz a vontade e determina os passos, além de invocar a grande sabedoria interior. Todas essas são atividades verdadeiras, cada uma à sua moda. Mas, depois desses passos, é preciso que o princípio receptivo entre em operação, porque, depois de ativadas essas forças, a entidade precisa deixar que elas atinjam o ponto de fruição. A pessoa que é incapaz de esperar até que isso aconteça, querendo, ao contrário, resultados imediatos que atribui unicamente à sua ativação, viola o princípio feminino dessa criação. Assim, a criação ou não é bem-sucedida ou só é bem-sucedida na proporção em que os dois aspectos criativos puderam funcionar. A semente lançada ao solo não pode ser imediatamente arrancada na forma de planta. Ela precisa de tempo para crescer dentro da terra, até aparecerem os primeiros brotos. As leis da agricultura dão uma bela demonstração da integridade dos dois aspectos da criação. O Trabalho do Caminho é um ato criativo proposital, que usa os dois princípios em igual medida.

Sejam abençoados, meus amigos, todos vocês. Que possam encontrar nova força e novo estímulo nestas palavras, que novas portas se abram para ajudá-los a sair de algum atoleiro. Talvez minhas palavras façam eco no coração de vocês, pondo em movimento alguma coisa que poderá criar o desejo de tornar mais ativa a busca do caminho que leva para o fundo do eu. Depois de encarar, de aceitar, de entender e de eliminar os obstáculos, os mais elevados poderes criativos podem começar a se desenvolver. Sejam abençoados, tragam à luz cada vez mais a grandeza e a beleza que vocês, intrinsecamente, são — Deus!

CAPÍTULO 3

As forças do amor, de Eros e da sexualidade

Saudações e bênçãos para todos os presentes, meus caríssimos amigos. Bendita seja esta hora!

Esta noite, eu gostaria de examinar três forças específicas do universo: a força do amor, do modo como se manifesta entre os sexos, a força erótica e a força sexual. São três princípios ou forças notadamente diferentes que se manifestam de forma diversa em todos os planos, do mais elevado ao mais baixo. A humanidade sempre confundiu os três. De fato, é pouco sabido que existem três forças separadas e quais são as diferenças entre elas. Há tanta confusão a esse respeito, que será muito útil esclarecer esta questão.

O significado espiritual da força erótica

A força erótica é uma das mais poderosas forças existentes e apresenta um certo *momentum* e impacto. Seu propósito é fazer a ponte entre o sexo e o amor, embora raramente o faça. Numa pessoa altamente desenvolvida do ponto de vista espiritual, a força erótica transporta a entidade da experiência erótica, que em si mesma é de curta duração, para um estado permanente de amor puro. No entanto, mesmo o *momentum* da força erótica transporta a alma só até ali, e não mais adiante. Ela está fadada a dissolver-se caso a personalidade não aprenda a amar, cultivando todas as qualidades e requisitos necessários para o verdadeiro amor. Só quando se aprende a amar é que a centelha da força erótica continua viva. Em si mesma, sem amor, a força erótica se esgota. Este, naturalmente, é o problema do casamento. Como a maioria das pessoas é incapaz do amor puro, também é incapaz de atingir o casamento ideal.

Eros, sob muitos aspectos, assemelha-se ao amor. Ele traz à tona impulsos que, de outra forma, o ser humano não sentiria: impulsos de altruísmo e afeto que a pessoa, anteriormente, talvez fosse incapaz de ter. É por isso que Eros tantas vezes é confundido com amor. Mas Eros é confundido com a mesma freqüência com o instinto sexual, que também se manifesta como um forte desejo.

Agora, meus amigos, eu gostaria de mostrar a vocês qual é o significado e a finalidade espiritual da força erótica, principalmente no que diz respeito à humanidade. Sem Eros, muitas pessoas jamais experimentariam o grande sentimento e a beleza contidos no amor verdadeiro. Elas jamais poderiam prová-lo, e o anseio de amar permaneceria profundamente enterrado em sua alma. Seu medo do amor seria mais forte que o desejo.

Eros é a experiência mais próxima do amor que o espírito não-desenvolvido pode ter. Ele eleva a alma, tirando-a da apatia, do mero contentamento e do estado vegetativo. Eros faz com que a alma se agite, buscando o exterior. Tomada por essa força, até a pessoa mais subdesenvolvida torna-se capaz de se superar. Até mesmo um criminoso tem durante algum tempo, pelo menos com relação a alguém, um sentimento de bondade que jamais conhecera. Enquanto dura esse sentimento, o egoísta rematado tem impulsos altruístas. Os acomodados saem da inércia. Com naturalidade e sem esforço, o escravo da rotina livra-se dos hábitos fixos.

A força erótica faz com que a pessoa fique num plano acima da separação, mesmo que seja por um curto período. Eros proporciona à alma o antegozo da união, que a psique, com medo, passa a desejar. Quanto mais forte a experiência de Eros, menos satisfação encontra a alma na pseudo-segurança da separação. Até a pessoa sob outros aspectos totalmente concentrada em si mesma, é capaz de fazer um sacrifício durante sua experiência de Eros. Portanto, meus amigos, vocês vêem que Eros capacita a pessoa a fazer coisas para as quais normalmente ela não tem inclinação;

coisas estreitamente associadas ao amor. É fácil entender por que Eros tantas vezes é confundido com o amor.

A diferença entre Eros e o amor

No que, então, Eros difere do amor? O amor é um estado permanente da alma; Eros, não. O amor só pode existir se o seu alicerce for preparado por meio do desenvolvimento e da purificação. O amor não vai e vem ao acaso; Eros, sim. Eros atinge com força súbita, muitas vezes pegando a pessoa desprevenida e até mesmo não predisposta a passar pela experiência. Só quando a alma está pronta para amar e já construiu o alicerce do amor é que Eros se torna a ponte para o amor manifesto entre o homem e a mulher.

Assim, pode-se ver como é importante a força erótica. Sem que ela atinja e tire vocês da rotina, muitos seres humanos jamais estariam prontos para procurar, com mais consciência, derrubar as barreiras que os separam. A experiência erótica lança na alma uma semente e faz com que ela anseie pela unidade, que é a grande meta no plano da salvação. Enquanto a alma está separada, o quinhão que lhe cabe é o isolamento e a infelicidade. A experiência erótica permite que a personalidade anseie pela união com pelo menos algum outro ser. Nas alturas do mundo espiritual, existe união entre todos os seres — e, assim, com Deus. Na esfera terrena, a força erótica é uma força propulsora, independentemente de o seu verdadeiro significado ser ou não entendido. Isso acontece mesmo que freqüentemente ela seja mal usada e desfrutada em si mesma, enquanto dura. Ela não é utilizada para cultivar o amor na alma, e por isso fenece. Não obstante, seu efeito permanece inevitavelmente na alma.

O medo de Eros e o medo do amor

Eros sobrevém subitamente em determinados estágios da vida, mesmo para os que receiam o aparente risco que significa aventurar-se e sair da separação. As pessoas que têm medo das próprias emoções e da vida como tal muitas vezes fazem tudo o que podem para evitar — de modo inconsciente e ignorante — a grande experiência da unidade. Embora esse medo esteja presente em muitos seres humanos, muito poucos não tiveram a experiência de certa inclinação da alma, permitindo um contato com Eros. Para a alma dominada pelo medo, que resiste à experiência, este é um bom remédio, apesar da mágoa e da perda que podem se seguir por causa de outras complicações psicológicas. No entanto, também existem pessoas excessivamente emotivas que, embora possam ter outros medos na vida, não receiam essa experiência em especial. De fato, a beleza dessa experiência exerce forte atração sobre essas pessoas, que a buscam avidamente. Voltam-se para uma série de indivíduos, pois, do ponto de vista emocional, são ignorantes demais para entender o profundo significado de Eros. Não se dispõem a aprender o amor puro; simplesmente usam a força erótica para o prazer e, quando este se esgota, buscam-no em outra parte. Trata-se de um abuso, que não pode prosseguir sem más conseqüências. Uma pessoa desse tipo precisará corrigir o abuso — mesmo quando cometido por ignorância. Da mesma forma, o covarde, o medroso demais, precisará compensar a tentativa de fraudar a vida, escondendo-se de Eros e, assim, negando à alma um remédio valioso, desde que usado corretamente. A maioria das pessoas dessa categoria tem na alma um ponto vulnerável que permite a entrada de Eros.

Também existe um pequeno número de pessoas que cercaram a alma com uma barreira tão sólida de medo e orgulho, que evitam inteiramente esse aspecto da experiência de vida e, dessa forma, prejudicam o próprio desenvolvimento. O medo pode existir porque, numa vida anterior, houve experiências infelizes com Eros, ou talvez porque a alma ávida abusou da beleza da força erótica, sem transformá-la em amor. Em qualquer um dos casos, a personalidade pode ter decidido ser mais cautelosa. Se essa decisão for radical demais ou severa demais, virá em seguida o extremo oposto. Na próxima encarnação, serão escolhidas circunstâncias propícias ao equilíbrio, até a alma atingir um estado harmonioso em que não haja mais extremos. Esse equilíbrio em encarnações futuras sempre se aplica a todos os aspectos da personalidade. Para chegar pelo menos perto da harmonia, é preciso conseguir o devido equilíbrio entre razão, emoção e vontade.

A experiência erótica muitas vezes se combina com o impulso sexual, mas nem sempre precisa ser assim. Essas três forças — amor, Eros e sexualidade — muitas vezes aparecem totalmente separadas, enquanto às vezes duas delas se combinam, como *Eros e sexualidade,* ou *Eros e amor,* na medida em que a alma é capaz de *amor,* ou de *sexualidade e aparência de amor.* Somente nos casos ideais essas três forças se combinam harmoniosamente.

A força sexual

A força sexual é a força criadora em qualquer plano da existência. Nas esferas superiores, essa mesma força cria a vida espiritual, as idéias espirituais, os conceitos e princípios espirituais. Nos planos inferiores, a força sexual pura e não-espiritualizada cria a vida à medida que ela se manifesta nessa esfera em especial; cria a casca exterior, ou o veículo da entidade destinada a viver naquela esfera.

A força sexual pura é totalmente egoísta. O *sexo sem Eros e sem amor* é chamado de animalesco. O sexo puro existe em todas as criaturas vivas: nos animais, nas plantas e os minerais. Eros começa com o estágio de desenvolvimento em que a alma encarna como ser humano. E o amor puro é encontrado nos reinos espirituais superiores. Isto não significa que Eros e sexo não existem nos seres de desenvolvimento superior, mas sim que os três se misturam harmoniosamente, são aprimorados e tornam-se cada vez menos egoístas. Também não quero dizer que o ser humano não deva tentar conseguir uma mistura harmoniosa dessas três forças.

Em raros casos, *Eros sozinho, sem sexo e sem amor,* existe por um período limitado. Este fenômeno é comumente denominado amor platônico. No entanto, mais cedo ou mais tarde, Eros e sexo se fundem na pessoa razoavelmente saudável. A força sexual, em vez de ser eliminada, é incorporada à força erótica, e ambas fluem em uma só corrente. Quanto mais as três forças permanecem separadas, menos saudável é a personalidade.

Outra combinação freqüente, principalmente em relacionamentos prolongados, é a coexistência do autêntico *amor com sexo, mas sem Eros.* Embora o amor não possa ser perfeito se não houver uma combinação das três forças, existe certa dose de afeto, companheirismo, amizade, respeito mútuo e um relacionamento sexual apenas sexual, sem a centelha erótica que desapareceu há algum tempo. Quando Eros está ausente, o relacionamento sexual acaba sofrendo. Este, meus amigos, é o problema da maioria dos casamentos. É difícil encontrar um ser humano que não fique desorientado diante da questão do que fazer para manter no relacionamento essa chama que parece fenecer à medida que se instala o hábito e a familiaridade com o outro. Talvez vocês não tenham enunciado a pergunta em termos de três forças distintas, mas sabem e sentem que falta no casamento alguma coisa que estava presente no início; a chama é, na verdade, Eros. Vocês se vêem num círculo vicioso, achando que o casamento é uma proposta sem solução. Não, meus amigos, não é, mesmo que vocês ainda não consigam atingir o ideal.

A parceria ideal do amor

Na parceria amorosa ideal entre duas pessoas, é preciso que as três forças estejam representadas. Com o amor parece que vocês não têm muita dificuldade, pois na maioria dos casos as pessoas não se casam se não houver pelo menos a disposição em amar. Não vou discutir, a esta altura, os casos extremos em que isso não acontece. Estou examinando o relacionamento em que foi tomada uma decisão madura, e, no entanto, os parceiros não conseguem evitar a armadilha que os prende ao tempo e aos hábitos, porque *o esquivo Eros desapareceu*. Com o sexo, a questão é em grande parte igual. A força sexual está presente na maioria dos seres humanos saudáveis e só pode começar a declinar — principalmente nas mulheres — quando Eros se vai. Os homens, então, podem procurar Eros em outro lugar. Pois o relacionamento sexual acaba sofrendo se Eros não for mantido.

O que fazer para manter Eros? Esta é a grande questão, meus queridos. Eros só pode ser mantido se for usado como ponte para a verdadeira parceria amorosa, no sentido mais elevado. Como isso acontece?

A busca da outra alma

Primeiro vamos examinar o principal elemento da força erótica. Ao analisá-lo, vocês descobrirão que é a aventura, a busca do conhecimento de outra alma. Esse desejo vive em todo espírito criado. A força vital inerente precisa, no fim, tirar a entidade de seu estado de separação. Eros fortalece a curiosidade pelo outro ser. Enquanto houver algo de novo para descobrir na outra alma, e enquanto vocês se revelam, Eros vive. No momento em que vocês acreditam que descobriram tudo o que há para descobrir, e que revelaram tudo o que há para revelar, Eros parte. Com Eros, é simplesmente assim. Mas o grande erro é acreditar que há um limite para a revelação de qualquer alma, sua ou do outro. Quando se atinge determinado ponto de revelação, normalmente bastante superficial, vocês têm a impressão de que isso é tudo, e acomodam-se numa vida plácida, sem outras buscas.

Eros, com seu forte impacto, levou você até esse ponto. Mas daí em diante, a vontade de continuar buscando as profundezas sem limites do outro e, voluntariamente, revelar e expor a sua própria busca interior, determina se vocês usaram ou não *Eros como ponte para o amor* — o que, por seu turno, é sempre determinado pela vontade de aprender a amar. Só assim vocês manterão a chama de Eros no amor. Só assim vocês continuarão a *descobrir o outro e a permitir que ele os descubra*. Não há limite, pois a alma é infinita, é eterna: toda uma vida não seria suficiente para conhecê-la.

É impossível chegar a um ponto em que vocês conhecem totalmente a outra alma ou que ficam totalmente conhecidos. A alma é viva, e nada do que é vivo permanece estático. Ela tem a capacidade de revelar camadas ainda mais profundas. A alma também está em constante mudança e movimento, como é da própria natureza de tudo o que é espiritual. Espírito significa vida, e vida significa mudança. Como a alma é espírito, ela jamais pode ser conhecida na sua totalidade. Se as pessoas fossem sábias, perceberiam esse fato e fariam do casamento a maravilhosa jornada de aventuras que ele deve ser, em vez de se deixarem levar apenas até onde vai o impulso inicial de Eros. Vocês deveriam usar esse poderoso *momentum* de Eros como impulso inicial, e depois encontrar, por meio dele, o ímpeto para prosseguir por conta própria. Nesse momento, Eros se incorpora ao verdadeiro amor do casamento.

As armadilhas do casamento

Por trás da instituição do casamento existe um propósito divino, que não se limita à mera procriação. Esta é apenas um detalhe. A idéia espiritual do casamento é deixar que a alma se revele e se empenhe na busca constante do outro, para descobrir constantemente novos prismas do outro ser. Quanto mais isso acontece, mais feliz é o casamento, mais firmes e seguras serão as suas raízes, e menos sujeito ele fica a um final infeliz. Ele terá, então, preenchido sua finalidade espiritual.

Na prática, contudo, dificilmente o casamento funciona assim. Atinge-se determinado grau de familiaridade e conduta habitual, em que um acha que conhece o outro. Nem sequer ocorre ao parceiro que ele só conhece algumas facetas do outro, mas isso é tudo. Essa busca do outro, bem como da auto-revelação, exige atividade interior e vigilância. Mas como a inatividade interior é uma tentação freqüente, enquanto a atividade exterior pode ficar mais forte como forma de compensação, as pessoas são induzidas a mergulhar num estado de repouso, acalentando a ilusão de já conhecerem completamente o outro. Esta é a armadilha. No pior dos casos, é o começo do fim; no melhor dos casos, é um acordo que deixa um atormentador desejo insatisfeito. A essa altura, o relacionamento passa a ser estático. Já não está vivo, mesmo que possa ter facetas muito agradáveis. O hábito é o grande sedutor que empurra para a acomodação e a inércia, para que não seja mais preciso se esforçar nem ficar atento.

O casal pode organizar um relacionamento aparentemente satisfatório que, com o passar dos anos, oferece duas possibilidades. A primeira é a insatisfação aberta e consciente de um ou dos dois parceiros. Pois a alma precisa lançar-se adiante, descobrir e ser descoberta, para que possa vencer a separação, a despeito do quanto o outro lado da personalidade receia a união e é tentado pela inércia. Essa insatisfação é consciente — embora, na maioria dos casos, sua *verdadeira* causa seja ignorada — ou inconsciente. Nas duas eventualidades, a insatisfação é mais forte que a tentação representada pelo conforto da inércia e da acomodação. O casamento, então, é desfeito, e um dos parceiros, ou ambos, se iludem acreditando que será diferente com um novo parceiro, principalmente se Eros tiver feito uma nova investida. Enquanto esse princípio não for compreendido, a pessoa pode passar de uma parceria para outra, sendo capaz de manter seus sentimentos apenas pelo tempo que Eros atua.

A segunda possibilidade é que a tentação de um simulacro de paz seja mais forte. Nesse caso, os parceiros podem continuar juntos e podem, sem dúvida, preencher alguma necessidade juntos, mas uma grande necessidade insatisfeita sempre fica rondando a alma. Como os homens, por natureza, são mais ativos e aventureiros, tendem para a poligamia e, portanto, são mais tentados pela infidelidade do que as mulheres. Assim, vocês também podem entender qual é o motivo da inclinação dos homens à infidelidade. As mulheres tendem a ser muito mais acomodadas e, portanto, mais preparadas para um acordo. É por isso que tendem à monogamia. É claro que há exceções, nos dois sexos. Essa infidelidade muitas vezes é tão desconcertante para o parceiro ativo como para a "vítima". Eles não se entendem. O parceiro infiel pode sofrer tanto quanto aquele cuja confiança foi traída.

Na situação em que o *acordo* é a solução escolhida, as duas pessoas caem na estagnação, pelo menos em um aspecto muito importante do desenvolvimento da alma. Elas se refugiam na reconfortante estabilidade do relacionamento. Podem até mesmo acreditar que são felizes, o que pode ser verdadeiro até certo ponto. As vantagens da amizade, do companheirismo, do respeito mútuo e a vida agradável em comum, com sua rotina bem estabelecida, superam a inquietude da alma, e os parceiros podem ser suficientemente disciplinados para permanecerem fiéis um ao outro. Contudo, falta no relacionamento um elemento importante: a revelação de alma a alma na maior medida possível.

O verdadeiro casamento

Só quando duas pessoas fazem isso é que elas podem ser *purificadas juntas* e, assim, ajudar uma à outra. Duas almas desenvolvidas podem satisfazer-se mutuamente através da revelação e da procura das camadas profundas da alma do outro. Dessa forma, o que está em cada uma das almas aflora à mente consciente, ocorrendo a purificação. A chama da vida, então, é mantida, para que o relacionamento nunca fique estagnado nem degenere num beco sem saída. Para vocês, que estão nesse caminho e seguem os vários passos desses ensinamentos, será mais fácil superar as armadilhas e os perigos do relacionamento conjugal e reparar os danos que ocorreram inadvertidamente.

Dessa forma, meus caros amigos, além de conservar Eros, essa vibrante força vital, vocês também a transformam em verdadeiro amor. Somente numa verdadeira parceria entre o amor e Eros é possível descobrir no parceiro novos níveis de existência até então despercebidos. E vocês mesmos também serão purificados, na medida em que puserem o orgulho de lado e se revelarem como realmente são. O relacionamento sempre será novo, a despeito do quanto acham que já conhecem o parceiro. Todas as máscaras caem por terra, e não apenas as superficiais, mas até mesmo as mais profundas, de cuja existência vocês poderiam não ter ciência. O amor, então, continuará vivo. Jamais será estático; jamais irá estagnar. Vocês nunca precisarão buscá-lo em outro lugar. Existe tanto para ver e descobrir nesse território da outra alma escolhida, que vocês continuam a respeitar, mas da qual parece estar ausente a centelha vital que os uniu no passado. Vocês jamais precisarão ter medo de perder o amor do ser amado; esse medo só é justificado para os que, juntos, se abstêm de correr o risco da jornada de auto-revelação. Este, meus amigos, *é o casamento na sua verdadeira acepção*, e esta é a única forma em que ele pode ser a glória que deve ser.

A separação

Cada um de vocês deve refletir profundamente para ver se tem medo de deixar as quatro paredes do seu isolamento. Alguns dos meus amigos não percebem que ficar separado é quase um desejo consciente. Com muitos de vocês, é isso o que ocorre: vocês querem o casamento, porque uma parte de vocês anseia por ele — e também porque não querem ficar sozinhos. Pode haver outras razões, bastante superficiais e vãs, para explicar o profundo anseio da alma. Mas, à parte esse anseio e à parte os motivos superficiais e egoístas do desejo insatisfeito da parceria, precisa haver também disposição para correr o risco da jornada e aventurar-se na auto-revelação. É preciso que vocês preencham uma parte integrante da vida — se não nesta vida, em vidas futuras.

Se você estiver sozinho, poderá, com esse conhecimento e com essa verdade, reparar o dano que causou à própria alma, abrigando conceitos errados no inconsciente. Talvez você descubra o medo de se lançar com o outro na aventura da grande jornada, o que explicaria o fato de estar sozinho. Essa compreensão deve mostrar-se útil e pode até possibilitar uma mudança das emoções suficiente para mudar também sua vida externa. Depende de você. Quem não estiver disposto a correr o risco dessa grande aventura não pode ter êxito na maior felicidade que a humanidade conhece — o casamento.

A escolha do parceiro

Só quando vocês estiverem assim preparados poderão, diante do amor, da vida e do outro ser, conceder ao ser amado a maior das dádivas: o verdadeiro eu. E, então, receberão inevitavelmente a mesma dádiva do ser amado. Mas, para isso, é preciso que exista certo grau de *maturidade espiritual* e emocional. Se essa maturidade estiver presente, vocês escolherão intuitivamente o parceiro certo, alguém que, em essência, tem a mesma maturidade e preparo para iniciar essa jornada. A escolha de um parceiro despreparado nasce do medo secreto de empreender a jornada. *Cada um atrai magneticamente as pessoas e as situações que correspondem aos seus desejos e medos inconscientes.* Vocês sabem disso.

A humanidade no seu todo está muito longe desse ideal do casamento de eus autênticos; porém, isso não altera a idéia nem o ideal. Neste ínterim, é preciso aprender a tirar o melhor partido da situação. Aqueles que, felizmente, já estão nesse caminho podem aprender muita coisa, independentemente do quanto já tenham avançado — mesmo que seja apenas o conhecimento da razão por que não conseguem concretizar a felicidade que uma parte da alma deseja. Descobrir esse fato já é um grande passo e permitirá que vocês, nesta vida ou em vidas futuras, cheguem mais perto da concretização dos seus anseios. Qualquer que seja a situação em que se encontrem, estejam acompanhados ou sozinhos, sondem o coração: lá está a resposta ao conflito. A resposta precisa vir de dentro, e com toda a probabilidade está relacionada com o medo, com o despreparo e com a ignorância dos fatos. Procurem e vocês saberão. Saibam que o propósito de Deus para a parceria do amor é a *completa* revelação mútua entre duas almas — e não uma revelação parcial.

Para muitos, a revelação física é fácil. Emocionalmente, a abertura vai até certo ponto — em geral, até onde Eros leva. Mas, então, vocês fecham a porta, e nesse momento começam os problemas.

Muitos não estão dispostos a revelar coisa alguma. Querem continuar sozinhos e distantes. Não querem passar pela experiência de se revelarem, de descobrir a alma do outro. Evitam fazê-lo de todas as formas a seu alcance.

Eros como ponte

Meus caros, repito: procurem entender como é importante o princípio erótico na esfera em que vocês vivem. Ele ajuda muitos que podem estar relutantes e despreparados para a experiência do amor. É o que vocês chamam de "apaixonar-se", "ter um romance". Por meio de Eros, a personalidade experimenta uma amostra do que poderia ser o amor ideal. Como eu disse anteriormente, muitos usam esse sentimento de felicidade com descuido e avidez, não chegando a atravessar o limiar do verdadeiro amor. O verdadeiro amor exige muito mais das pessoas, no sentido espiritual. Se não satisfizerem essa exigência, elas não atingirão a meta pela qual a alma luta. Essa atitude extremada de sair à cata de romance é tão errada quanto a outra, em que nem mesmo a grande força de Eros pode passar pela porta cerrada. Mas, na maioria dos casos, quando a porta não está tão firmemente cerrada, Eros chega até vocês em determinados estágios da vida. O fato de conseguirem usar Eros como ponte para o amor depende de cada um. Depende do desenvolvimento, da disposição, da coragem, da humildade, da capacidade de se revelar. Querem fazer perguntas sobre esse tema, meus caros amigos?

PERGUNTA: Quando você fala sobre a revelação de uma alma para outra, está querendo dizer que, num plano superior, é assim que a alma se revela a Deus?

RESPOSTA: É a mesma coisa. Mas antes de poder verdadeiramente revelar-se a Deus, você precisa aprender a revelar-se a outro ser humano que você ame. Ao fazê-lo, você também se revela a Deus. Muitas pessoas querem começar revelando-se ao Deus pessoal. Entretanto, na verdade, no fundo de seu coração, essa revelação a Deus não passa de um subterfúgio, pois é abstrata e remota. Nenhum ser humano pode ver ou ouvir o que elas revelam. Elas continuam sozinhas. Não é preciso fazer a única coisa que parece tão arriscada, que requer tanta humildade e, assim, ameaça ser humilhante. Ao se revelar a outro ser humano, você realiza muita coisa que não pode ser realizada por meio da revelação a Deus, que de qualquer forma já conhece você e, na verdade, não precisa da sua revelação.

Quando você encontra e conhece outra alma, cumpre o seu destino. Quando você encontra outra alma, encontra também outra partícula de Deus e, se você revela a sua própria alma, revelará uma partícula de Deus e dará algo divino ao outro. Quando Eros vem ao seu encontro, ele o eleva bem alto, para que você sinta e saiba o que, no seu íntimo, anseia por essa experiência e o que é o seu verdadeiro eu, que deseja revelar-se. Sem Eros, você tem ciência apenas das camadas externas acomodadas.

Não evite Eros, quando ele quiser ir ao seu encontro. Se você entender a idéia espiritual que está por trás dele, poderá usá-lo com sabedoria. Seu eu-Deus será capaz, então, de guiá-lo e capacitá-lo a ajudar da melhor forma a outro ser humano e a si mesmo, no caminho do verdadeiro amor, do qual a purificação deve ser parte integrante. Embora o seu trabalho de purificação por meio de um relacionamento de compromisso profundo se manifeste de forma diferente do trabalho neste caminho, ele o ajudará a fazer uma purificação da mesma ordem.

PERGUNTA: Pode existir uma alma tão rica que precise revelar-se a mais de uma alma?

RESPOSTA: Meu caro amigo, isso é uma brincadeira?

PERGUNTA: Não, não é. Estou perguntando se a poligamia está de acordo com o esquema de lei espiritual.

RESPOSTA: Não, com certeza não está. Quando alguém acha que a poligamia pode estar de acordo com o esquema do desenvolvimento espiritual, trata-se de um subterfúgio. A personalidade está em busca do parceiro certo. Ou a pessoa é imatura demais para encontrar o parceiro certo, ou o parceiro certo está ali e a pessoa polígama está simplesmente se deixando levar pelo *momentum* de Eros, sem jamais elevar essa força até o amor volitivo que exige superação e esforço para ultrapassar o limiar mencionado acima.

Em casos como esse, quem tem a personalidade "aventureira" está em constante busca, sempre encontrando outra parte do seu ser, sempre revelando-se apenas até certo ponto, e não mais, ou talvez revelando, a cada vez, outra faceta de sua personalidade. No entanto, quando se trata do núcleo interior, a porta está fechada. Eros, então, parte e começa uma nova busca. Cada ocasião é uma decepção que só pode ser entendida quando essas verdades são captadas.

O instinto sexual bruto também entra no anseio por essa grande jornada, mas a satisfação sexual começa a ser prejudicada quando o relacionamento não é mantido no nível que estou mostrando. Essa satisfação, de fato, é inexoravelmente de curta duração. Não existe riqueza em revelar-se a muitos. Nesses casos, ou a pessoa revela repetidamente as mesmas coisas para novos parceiros ou, como eu disse anteriormente, exibe diferentes facetas da sua personalidade. Quanto maior o número de parceiros com os quais você se divide, menos dá a cada um. Isso é inevitável. Não pode ser diferente.

PERGUNTA: Algumas pessoas acreditam que podem eliminar o sexo, Eros e o desejo por um parceiro, vivendo totalmente para o amor da humanidade. Você acha possível um homem ou uma mulher renunciarem a essa parte da vida?

RESPOSTA: É possível, mas sem dúvida não é saudável nem sincero. Eu poderia dizer que talvez exista uma pessoa em dez milhões que tenha uma tarefa dessas. Isso pode ser possível. Pode ser o karma de uma alma específica, que já se desenvolveu até esse ponto, que já passou pela experiência da verdadeira parceria e veio para uma missão específica. Também pode haver algumas dívidas kármicas que precisam ser pagas. Na maioria dos casos — e aqui posso generalizar com segurança — evitar a parceria não é saudável. É uma fuga. A verdadeira razão disso é o medo do amor, o medo da experiência de vida, mas a renúncia medrosa é racionalizada como sendo um sacrifício. Para qualquer pessoa que me procurasse com esse problema, eu diria: "Examine-se melhor. Vá além das camadas superficiais do raciocínio e das explicações conscientes para a sua atitude a esse respeito. Tente descobrir se você tem medo do amor e da decepção. Não é mais confortável viver apenas para si e não ter dificuldades? Não é isto, na verdade, o que você sente no fundo e quer disfarçar com outras razões? O grande trabalho humanitário que você quer executar pode ser para uma causa realmente meritória, mas você acredita de fato que uma coisa exclui a outra? Não é muito mais provável que a grande tarefa que você reivindicou para si seria mais bem executada se você também aprendesse o amor pessoal?"

Se todas essas perguntas fossem respondidas com sinceridade, a pessoa seria obrigada a ver do que está fugindo. O amor e o preenchimento pessoais são o destino da maioria dos homens e mulheres, pois há muita coisa que só pode ser aprendida por meio do amor pessoal, e não por algum outro meio. Formar um relacionamento sólido e durável pelo casamento é a maior vitória que um ser humano pode conquistar, pois é uma das coisas mais difíceis que existem, como bem se pode ver no seu mundo. Essa experiência de vida leva a alma mais perto de Deus do que as boas ações desinteressadas.

PERGUNTA: Eu ia fazer uma pergunta relacionada com a que fiz anteriormente: o celibato é considerado uma forma altamente espiritualizada de desenvolvimento, de acordo com algumas seitas religiosas. Por outro lado, a poligamia também é admitida em algumas religiões — por exemplo, entre os mórmons. Eu entendo o que você disse; mas como justificar essas atitudes por parte de pessoas que supostamente buscam a união com Deus?

RESPOSTA: Há falhas humanas em todas as religiões. Em uma religião pode haver um tipo de erro; em outras religiões, outro tipo. Aqui, temos dois extremos. Quando dogmas ou regras como essas passam a existir nas várias religiões, seja em um ou em outro extremo, trata-se sempre de uma racionalização, de um subterfúgio a que a alma individual constantemente recorre. É uma tentativa de descartar, com boas motivações, as contracorrentes da alma com medo ou cobiçosa.

Há uma crença comum de que tudo o que diga respeito à sexualidade é pecaminoso. Não é assim. O instinto sexual já aparece no bebê. Quanto mais imatura for a criatura, tanto mais a sexualidade estará separada do amor, sendo, portanto, mais egoísta. Qualquer coisa sem amor é "pecaminosa", se você quiser usar essa palavra. Nada que se associe ao amor é errado — ou pecaminoso.

Na criança em crescimento, naturalmente imatura, o impulso sexual a princípio se manifesta de modo egoísta. Apenas quando a personalidade como um todo cresce e amadurece harmoniosamente é que o sexo passa a integrar-se ao amor. Por ignorância, a humanidade acredita há muito tempo que o sexo, em si, é pecaminoso. Portanto, ele foi mantido oculto, e essa parte da personalidade não pode crescer. Nada que permaneça oculto pode crescer; vocês sabem disso. Portanto, mesmo em muitos adultos, o sexo permanece infantil e apartado do amor. Isto, por sua vez, levou a humanidade a acreditar que a sexualidade é um pecado e que a pessoa verdadeiramente espiritualizada deve abster-se dele. Esta é a origem de um desses círculos viciosos freqüentemente mencionados.

Graças à crença na natureza pecaminosa do sexo, esse instinto não pode crescer e fundir-se com a força do amor.

Conseqüentemente, o sexo, de fato, muitas vezes é egoísta, rude, animalesco e desprovido de amor. Se as pessoas percebessem — o que está começando a acontecer cada vez mais — que o instinto sexual é tão natural e originário de Deus como qualquer outra força universal e que, em si mesmo, não é mais pecaminoso que qualquer outra força existente, elas romperiam esse círculo vicioso, e mais seres humanos permitiriam que seu impulso sexual amadurecesse e se misturasse ao amor — e, aliás, também a Eros.

Há tantas pessoas para as quais o sexo é distinto do amor! Elas não apenas ficam com a consciência pesada quando o impulso sexual se manifesta, como também se julgam incapazes de lidar com os sentimentos sexuais em relação à pessoa que realmente amam. Devido às condições distorcidas e ao círculo vicioso que acabamos de descrever, a humanidade acabou acreditando que não se pode encontrar Deus quando se reage ao impulso sexual. Isto é totalmente errado; não se pode matar algo que está vivo. Só se pode esconder, de modo que ele virá à tona de outras formas, que podem ser muito mais prejudiciais. Só em raríssimos casos a força sexual é efetivamente sublimada de forma construtiva e faz com que essa criatividade se manifeste em outros planos. A verdadeira sublimação jamais pode acontecer quando é motivada pelo medo e usada como fuga. Isso responde à sua pergunta?

RESPOSTA: Perfeitamente, obrigado.

PERGUNTA: Como se encaixa, nesse contexto, a amizade entre duas pessoas?

RESPOSTA: A amizade é o amor fraternal. Ela também pode existir entre um homem e uma mulher. Eros pode querer se insinuar, mas a razão e a vontade mesmo assim podem determinar o rumo tomado pelos sentimentos. O discernimento e o saudável equilíbrio entre razão, emoção e vontade são necessários para impedir que os sentimentos se encaminhem para um canal inadequado.

PERGUNTA: O divórcio contraria a lei espiritual?

RESPOSTA: Não necessariamente. Não temos regras fixas desse tipo. Há casos em que o divórcio é uma saída fácil, uma simples fuga. Em outros casos, o divórcio é razoável, porque a decisão de casar foi imatura e os dois parceiros não têm vontade de cumprir com a responsabilidade do casamento no seu verdadeiro sentido. Se apenas um dos dois, ou nenhum deles, mostrar boa vontade, o divórcio é preferível a continuarem juntos, transformando o casamento numa farsa. A menos que ambos queiram empreender juntos a jornada, é melhor romper do que deixar que um impeça o crescimento do outro. É claro que isso acontece. É melhor acabar com um erro do que persistir nele indefinidamente, sem encontrar um remédio eficaz.

A generalização de que o divórcio é sempre errado é tão incorreta quanto a afirmação de que ele é sempre certo. Não se deve, contudo, romper o casamento levianamente. Mesmo que este tenha sido um erro e não funcione, deve-se tentar descobrir as razões disso e fazer o possível para identificar, e talvez superar, as turbulências do caminho, desde que as duas pessoas tenham boa vontade em todos os aspectos. Deve-se, certamente, agir com o maior empenho, mesmo que o casamento não seja a experiência ideal sobre a qual falei esta noite. Poucas pessoas estão suficientemente preparadas e amadurecidas para essa experiência. Vocês podem preparar-se tentando aproveitar da melhor forma os erros passados e aprender com eles.

Meus caríssimos amigos, pensem bem no que eu disse. Há muito material para reflexão no que disse a cada um de vocês aqui presentes, e a todos os que lerem minhas palavras. Não existe uma única pessoa que não possa aprender algo com elas.

Meus caros, recebam novamente nossas bênçãos; que seus corações se encham com essa maravilhosa força que emana do mundo da luz e da verdade. Vão em paz e em felicidade, meus caros, cada um de vocês. Fiquem com Deus!

CAPÍTULO 4

A importância espiritual do relacionamento

Saudações, meus caros, caríssimos amigos. Bênçãos para todos vocês. Abençoada seja a vida, a respiração, os pensamentos e os sentimentos de vocês!

Esta palestra trata dos relacionamentos e de sua grande importância do ponto de vista espiritual — o do desenvolvimento individual e da unificação. Primeiramente, eu gostaria de ressaltar que, no plano humano da manifestação, há unidades distintas de consciência, que às vezes se harmonizam, mas com muita freqüência são conflitantes, gerando atrito e crise. No entanto, além desse plano de manifestação, não existem unidades fragmentárias de consciência. Existe apenas uma consciência, da qual toda entidade criada é apenas uma expressão diferente. Quando a pessoa mostra seu verdadeiro valor, ela experimenta esta verdade sem, contudo, perder o senso de individualidade. Isso pode ser nitidamente sentido quando vocês lidam com suas desarmonias internas, meus amigos; pois ali também se aplica exatamente o mesmo princípio.

Desenvolvimento desigual de partes da consciência

No seu estado atual, uma parte do ser mais íntimo está desenvolvida e rege o que vocês pensam, sentem, desejam e fazem. Há outras partes, ainda em condições de menor desenvolvimento, que também regem e influenciam os pensamentos, os sentimentos, os desejos e a atuação. Assim, vocês estão divididos, o que sempre gera tensão, dor e ansiedade, além de dificuldades internas e externas. Alguns aspectos da personalidade são autênticos, e outros apresentam erros e distorções. A confusão conseqüente provoca sérias perturbações. O que as pessoas geralmente fazem é ignorar um desses aspectos e identificar-se com o outro. No entanto, negar uma parte de si mesmo não resulta em unificação. Pelo contrário, aumenta a divisão. O que se deve fazer é trazer à tona o lado divergente e conflitante e encará-lo — encarar a ambivalência por inteiro. Só então é possível encontrar a realidade última do eu unificado. Como vocês sabem, a unificação e a paz surgem na medida em que a natureza do conflito interior é admitida, aceita e entendida.

Exatamente a mesma lei se aplica à unidade ou dissensão entre entidades visivelmente separadas e diferentes. Elas também são uma só coisa, além do nível da aparência. A dissensão é provocada, não apenas por diferenças reais entre as unidades de consciência mas, como também acontece com cada um, por diferenças no desenvolvimento da consciência universal manifestada.

Embora o *princípio da unificação* seja exatamente o mesmo dentro das pessoas e entre elas, ele *não pode ser aplicado a outro ser humano se primeiramente não tiver sido aplicado ao eu interior.* Se as partes divergentes do eu não forem aproximadas, de acordo com esta verdade, se a ambivalência não for encarada, aceita e entendida, o processo de unificação não pode ser colocado em prática com outra pessoa. *Este é um fato muito importante, que explica a grande ênfase dada pelo Trabalho do Caminho à prioridade das questões do eu.* Somente nessas condições o relacionamento pode ser cultivado de maneira significativa e eficaz.

Elementos de dissensão e de unificação

O relacionamento constitui o maior desafio para a pessoa, pois é apenas no relacionamento com os outros que os problemas não-resolvidos, ainda presentes na psique individual, são afetados e ativados. Muitas pessoas evitam a interação com seus semelhantes, para poder conservar a ilusão de que os problemas decorrem do outro, já que é só na presença deste, e não no isolamento, que surge a sensação de perturbação.

No entanto, quanto menos contato for cultivado, mais acentuado se torna o anseio por ele. Trata-se, aqui, de um tipo diferente de dor — *a dor da solidão e da frustração*. No entanto, o contato torna difícil manter a ilusão, pelo tempo que for, de que o eu interior não tem defeitos e é harmonioso. É preciso haver uma anomalia mental para alegar por muito tempo que os problemas de alguém no relacionamento são causados exclusivamente pelos outros. É por isso que os relacionamentos são simultaneamente uma satisfação, um desafio e uma medida de avaliação do estado interior. *O atrito decorrente do relacionamento com os outros pode ser um penetrante instrumento de purificação e autoconhecimento* para quem quiser usá-lo.

Ao recuar diante desse desafio e sacrificar a realização do contato íntimo, muitos problemas internos jamais são ativados. A ilusão da paz e da unidade internas proporcionada pela fuga ao relacionamento resultou até mesmo na crença de que o crescimento espiritual é intensificado pelo isolamento. Nada poderia estar mais distante da verdade. É preciso não confundir essa afirmação com a noção de que períodos de solidão são necessários para a concentração interior e o auto-exame. Mas esses períodos devem sempre ser alternados com períodos de contato — quanto mais íntimo for esse contato, maior grau de maturidade espiritual ele indica.

O contato e a falta de contato com os outros podem ser observados em vários estágios. Há muitos graus de contato entre os extremos absolutos do completo isolamento externo e interno, de um lado, e a mais íntima e profunda relação, de outro. Existem aqueles que desenvolveram certa capacidade superficial de se relacionar, mas mesmo assim fogem da revelação mútua mais significativa, aberta, sem disfarces. Eu poderia dizer que o ser humano médio da atualidade oscila em torno de algum ponto entre os dois extremos.

A realização como gabarito do desenvolvimento pessoal

Também é possível medir o senso pessoal de realização por meio da profundidade da capacidade de se relacionar e de ter contato íntimo, por meio da força dos sentimentos que a pessoa se permite ter e pela disposição em dar e receber. A frustração indica a falta de contatos, o que, por sua vez, é um indício preciso de que o eu recua diante do desafio do relacionamento, sacrificando assim a realização pessoal, o prazer, o amor e a alegria. Quando alguém quer compartilhar apenas recebendo de acordo com seus termos mas, na verdade, secretamente, não deseja compartilhar, seus anseios não são satisfeitos. As pessoas fariam bem em considerar seus anseios insatisfeitos desse ponto de vista, em vez de concordar com a suposição comum de que elas não têm sorte e que a vida é madrasta.

O contentamento e a realização de cada um no relacionamento é um gabarito muito negligenciado para aferir o desenvolvimento pessoal. O relacionamento com os outros reflete o estado de cada um e, dessa forma, contribui diretamente para a purificação de si mesmo. Inversamente, só a total honestidade e capacidade de se enxergar podem conservar o relacionamento, ampliar os sentimentos e fazer o contato florescer no convívio prolongado. Assim, meus amigos, vocês podem ver que os relacionamentos representam um aspecto de enorme importância no crescimento humano.

O poder e a importância do relacionamento muitas vezes apresentam sérios problemas para os que ainda sofrem por causa de seus conflitos internos. O anseio insatisfeito torna-se insuportavelmente doloroso para quem prefere isolar-se porque tem dificuldades no contato. A situação só pode ser resolvida quando a pessoa decide seriamente *procurar dentro de si a causa do conflito*, sem lançar mão da defesa da culpa aniquilante e sem se culpar, o que naturalmente elimina qualquer possibilidade de chegar de fato ao cerne do conflito. Essa busca, junto com a vontade interna de mudar, precisa ser cultivada, para fugir ao doloroso dilema em que as duas alternativas possíveis — o isolamento e o contato — são insuportáveis.

É importante lembrar que o retraimento pode ser muito sutil e não ser exteriormente perceptível, manifestando-se apenas como certa circunspecção e autoproteção deturpada. O bom companheirismo nem sempre implica a capacidade e a vontade de permitir maior intimidade. Para muitos, a intimidade é pesada demais. À primeira vista pode haver uma relação com o fato de os outros serem muito difíceis, mas na realidade a dificuldade está no eu, por mais imperfeitos que os outros também possam ser.

Quem é responsável pelo relacionamento?

Quando duas pessoas de níveis diferentes de desenvolvimento espiritual se envolvem, *aquela que está mais desenvolvida é sempre responsável pelo relacionamento*. Especificando, aquela pessoa tem a responsabilidade de sondar as camadas profundas de interação que geram atrito e desarmonia entre as partes.

A pessoa menos desenvolvida não tem a mesma capacidade de levar adiante essa busca, pois ainda está na fase de culpar o outro e depender da conduta "correta" do outro para evitar os desentendimentos ou a frustração. Além disso, a pessoa menos desenvolvida está sempre presa ao *erro fundamental da dualidade*. De sua perspectiva, qualquer atrito significa que "apenas um de nós está certo". Essa pessoa se sente automaticamente inocentada quando o outro tem algum problema, embora na realidade sua participação negativa possa ser infinitamente mais grave que a do parceiro.

A pessoa espiritualmente mais desenvolvida é capaz de ter uma *percepção não dualista*, realista. Ela sabe que qualquer um dos dois pode ter um problema grave, mas isso não elimina a importância de um problema possivelmente muito menor do outro. A pessoa mais desenvolvida sempre está pronta e disposta a apurar sua própria participação, sempre que é negativamente afetada, por mais flagrantemente errado que o parceiro possa estar. A pessoa imatura e primitiva, sob o aspecto espiritual e emocional, sempre põe o grosso da culpa no outro. Tudo isso se aplica a qualquer tipo de relacionamento: um casal, pais e filhos, amigos, contatos profissionais.

A tendência a tornar-se emocionalmente dependente dos outros — cuja superação é um aspecto muito importante do processo de crescimento — deriva, em grande medida, do desejo de eximir-se de culpa ou de evitar dificuldades durante a formação e a manutenção de um relacionamento. Parece tão mais fácil jogar a maior parte dessa carga sobre os outros! Mas a que preço! Essa conduta torna a pessoa verdadeiramente impotente e cria o isolamento, ou a seqüência interminável de dor e de conflito com os outros. Apenas quando cada um começa realmente a assumir a responsabilidade que lhe cabe, examinando os seus próprios problemas no relacionamento e demonstrando vontade de mudar, é que se instala a liberdade e os relacionamentos se tornam proveitosos e felizes.

Se a pessoa de maior desenvolvimento se recusar a assumir o dever espiritual de responsabilidade pelo relacionamento e procurar o núcleo interior de dissensão, ela jamais entenderá de fato a interação, a interligação dos problemas. A relação, nesse caso, começará a se deteriorar, deixando as duas partes confusas e menos capazes de conviver consigo mesmas e com os outros. Por outro lado, se a pessoa espiritualmente desenvolvida aceitar essa responsabilidade, ela também ajudará, sutilmente, o parceiro. Se conseguir resistir à tentação de constantemente ridicularizar os evidentes pontos fracos de outros e olhar para dentro de si, ela aumentará consideravelmente seu desenvolvimento e espalhará paz e alegria. O veneno do atrito logo será eliminado. Também será possível encontrar outros parceiros de um processo de crescimento realmente recíproco.

Quando dois iguais se relacionam, ambos são inteiramente responsáveis pelo relacionamento. Este é, de fato, um belo empreendimento, um estado de reciprocidade profundamente gratificante. A menor variação de humor será interpretada de acordo com seu significado interno e, assim, o processo de crescimento será mantido. Ambos se verão como co-autores da imperfeição passageira — seja um atrito real ou uma apatia transitória. A realidade interior da interação se tornará cada vez mais significativa. Com isso, o relacionamento fica em geral a salvo de danos.

Quero ressaltar, agora, que quando falo em responsabilidade pela pessoa menos desenvolvida, não quero dizer que um ser humano possa sempre arcar com as dificuldades reais dos outros. Isso nunca pode acontecer. O que quero dizer é que as dificuldades da interação num relacionamento não costumam ser exploradas em profundidade pela pessoa cujo desenvolvimento espiritual é mais rudimentar. Esta responsabilizará os outros pela sua infelicidade ou pela desarmonia de uma determinada interação, não tendo capacidade ou vontade de ver o quadro todo. Assim, ela não está em condições de eliminar a desarmonia. Só os que assumem a responsabilidade de encontrar a perturbação interior e seu efeito sobre as duas partes são capazes de ver esse quadro. Por conseguinte, a pessoa espiritualmente mais primitiva sempre depende da mais evoluída.

O relacionamento no qual a destrutividade do parceiro menos desenvolvido torna impossível o desenvolvimento, a harmonia e os bons sentimentos, ou no qual o contato é predominantemente negativo, deve ser rompido. Via de regra, a pessoa mais desenvolvida deve tomar a iniciativa. O fato de ela não romper indica alguma fraqueza ou medo não reconhecidos que precisam ser enfrentados. Se o relacionamento for terminado por esse motivo, ou seja, porque é mais destrutivo e causador de sofrimento do que construtivo e harmonioso, isso deve ser feito quando os problemas internos e as ações recíprocas forem plenamente reconhecidas pela parte que tomar a iniciativa de cortar um antigo vínculo. Isso impedirá que essa pessoa entre em outros relacionamentos onde existam correntes e ações recíprocas semelhantes. Também significa que a decisão de romper foi tomada tendo em vista o crescimento, e não por despeito, medo ou fuga.

Interações destrutivas

Explorar a interação subjacente e os diversos efeitos de um relacionamento no qual são escancaradas e aceitas as dificuldades dos dois parceiros não é nem um pouco fácil. Mas nada pode ser mais belo e gratificante. Qualquer um que atinja o estado de iluminação em que isso se torna possível já não precisa ter medo de nenhum tipo de interação. *As dificuldades e os medos surgem na medida exata em que um continua projetando seus problemas no outro*, ao relacionar-se, e continua considerando os outros responsáveis por tudo o que não seja do seu agrado. Esse fenômeno pode assumir muitas formas sutis. Pode ser que alguém se concentre sistematicamente nos defeitos dos outros, porque, à primeira vista, essa atitude lhe parece justificada. Pode ser que alguém sutilmente exagere a ênfase dada a um dos lados da interação ou que exclua o outro. Distorções como essas indicam projeção e repúdio da responsabilidade pessoal pelas dificuldades do relacionamento. Esse repúdio fomenta a *dependência da perfeição da outra parte*, o que por sua vez gera medo, hostilidade e decepção sempre que o outro não corresponde ao padrão de perfeição.

Meus caros amigos, não importa o erro que a outra pessoa cometa; se isso for motivo de perturbação, é porque vocês deixaram de ver alguma coisa em si mesmos. Uso a palavra perturbação nesse sentido. Não estou falando da raiva bem definida, que se expressa sem culpa e que não tem nenhum resíduo de confusão interna ou de dor. Quero falar do tipo de perturbação que nasce de um conflito e fomenta outros conflitos. As pessoas mostram forte tendência a dizer: "Você está me fazendo tal coisa." *O jogo que envolve tornar os outros culpados é tão difundido que dificilmente é notado.* Um ser humano culpa o outro, um país culpa o outro, um grupo culpa o outro. Este é um processo constante no atual nível de desenvolvimento da humanidade. *Na realidade, é um dos processos mais prejudiciais e ilusórios que se pode imaginar.*

As pessoas têm prazer com isso, embora a dor e os conflitos insolúveis que se seguem sejam infinitamente desproporcionais à insignificância de um prazer momentâneo. Os que jogam esse jogo prejudicam de fato a si mesmos e aos outros, e recomendo enfaticamente que vocês comecem a se conscientizar do envolvimento cego nesse jogo de acusações.

E o que dizer da "vítima"? Como ela deve agir? Para a vítima, o primeiro problema é que *ela nem sequer tem ciência do que está acontecendo*. Na maioria dos casos, o processo que envolve a transformação de outros em vítimas acontece de maneira sutil, emocional e não traduzida em palavras. Lança-se a culpa silenciosa e encoberta sem se pronunciar uma palavra. Ela é expressa indiretamente, de muitas formas. Pois bem, é evidente que a primeira necessidade é a consciência concisa e articulada; caso contrário, a resposta inconsciente virá de maneira igualmente destrutiva, como uma suposta autodefesa. Nesse caso, nenhuma das pessoas conhece de fato os intricados níveis de ação, reação e interação, até que os fios ficam tão emaranhados que parece impossível desembaraçá-los. Muitos relacionamentos tropeçam por causa dessa interação inconsciente.

A responsabilização dos outros espalha o veneno, o medo e uma dose de culpa pelo menos igual àquela que se tenta projetar. Os alvos da acusação podem reagir de muitas formas diferentes, de acordo com seus próprios problemas e conflitos não-solucionados. Desde que a reação é cega e a projeção de culpa é inconsciente, a contrapartida também é neurótica e destrutiva. Só a percepção consciente pode pôr fim a esse padrão. Só então será possível recusar um ônus que tentam colocar sobre os seus ombros. Só então é possível traduzir a questão em palavras e dar-lhe contornos definidos.

Como alcançar satisfação e prazer

Num relacionamento prestes a florescer, é preciso ficar de sobreaviso com respeito a esse perigo, que é ainda mais difícil de detectar por causa da grande disseminação do hábito de projetar a culpa. Portanto, os envolvidos deveriam procurar esses hábitos em si mesmos bem como na outra pessoa. Não estou falando de confronto direto por causa de algum erro cometido pelo outro. Estou me referindo à sutil responsabilização do outro pela infelicidade pessoal. É isso que precisa ser questionado.

A única forma de evitar tornar-se vítima da responsabilização e da projeção da culpa é evitar fazer isso com os outros. Quem adota essa atitude sutilmente negativa — e o jeito de agir de uma pessoa pode ser diferente do jeito de outra — deixa de perceber o que lhe fazem e, assim, transforma-se em vítima. O simples fato de se conscientizar muda tudo — independentemente de se passar ou não para a expressão verbal e para o confronto com o outro. Somente o fato de a pessoa explorar, sem defensividade, e aceitar as próprias reações problemáticas e distorções, o negativismo e a destrutividade, pode desarmar a projeção de culpa do outro. É somente nessas circunstâncias que a pessoa não é arrastada para um labirinto de falsidade e confusão, onde a incerteza, a defensividade e a fraqueza podem fazê-la recuar ou partir para o excesso de agressividade. Só então termina a confusão entre auto-afirmação e hostilidade, entre flexibilidade para fazer concessões e submissão doentia.

Estes são os aspectos que determinam a capacidade de lidar com os relacionamentos. Quanto mais profundamente entendidas e vividas forem essas novas atitudes, tanto mais íntima, satisfatória e bonita se tornará a interação humana.

Como vocês podem afirmar seus direitos e abrir-se ao mundo de satisfação e de prazer? Como podem amar sem medo, se não abordarem o relacionamento da maneira delineada acima? A menos que vocês se purifiquem, aprendendo a agir assim, sempre haverá uma ameaça à intimidade: o risco de um dos parceiros, ou de ambos, recorrer ao uso do açoite da culpa. O amor, a aceitação, a intimidade profunda e gratificante com os outros podem ser uma força unicamente positiva, sem qualquer ameaça, se esses embustes forem examinados, revelados e desfeitos. É da máxima importância, meus amigos, procurar por eles dentro de vocês.

O tipo de relacionamento mais desafiante, bonito, espiritualmente significativo e propício ao desenvolvimento é o relacionamento entre um homem e uma mulher. A força que reúne duas pessoas no amor e na atração, e o prazer envolvido, são um pequeno aspecto do ser na realidade cósmica. É como se cada entidade criada conhecesse inconscientemente a ventura desse estado e buscasse concretizá-la da forma mais poderosa que a humanidade tem a seu alcance: o amor e a sexualidade entre homem e mulher. A força que os une é a mais pura energia espiritual, que dá uma idéia do mais puro estado espiritual.

Quando um homem e uma mulher ficam juntos num relacionamento mais duradouro e comprometido, a capacidade de conservar e até mesmo de aumentar a felicidade depende totalmente da forma como um se relaciona com o outro. Ambos estão cientes da relação direta entre o prazer duradouro e o desenvolvimento interior? Usam as inevitáveis dificuldades do relacionamento como gabarito de suas próprias dificuldades internas? Comunicam-se da maneira mais profunda, honesta e auto-reveladora, expondo os problemas interiores, ajudando-se mutuamente? As respostas a essas perguntas determinam se o relacionamento tropeça, termina, estaciona — ou floresce. Examinando o mundo à nossa volta, vocês verão, sem dúvida, que muito poucos seres humanos se desenvolvem e se revelam com tanta transparência. Um número igualmente pequeno percebe que *crescer com o outro e através dele* determina a solidez dos sentimentos do prazer, do amor e respeito duradouros. Portanto, não é de surpreender que os sentimentos, quase sempre, fiquem mais ou menos amortecidos nos relacionamentos prolongados.

As dificuldades que surgem no relacionamento sempre são sinais de algo que não foi cuidado. Elas são uma mensagem clara para quem quiser ouvir. Quanto mais cedo ela for ouvida, mais energia espiritual será liberada, possibilitando a ampliação do estado de felicidade e do eu interior dos dois parceiros. Existe um mecanismo, no relacionamento homem-mulher, que pode ser comparado a um instrumento calibrado com muita precisão, mostrando os aspectos mais delicados e sutis da relação e o estado das duas pessoas envolvidas. Este fato não tem o reconhecimento que merece nem mesmo por parte das pessoas mais conscientes e sofisticadas, familiarizadas com outros aspectos da verdade espiritual e psicológica. A cada hora do dia, o estado interior e os sentimentos de uma pessoa testemunham seu estágio de desenvolvimento. Na medida em que esses sinais são ouvidos, florescem a interação, os sentimentos e a liberdade de fluxo dentro de cada um e entre os dois.

O relacionamento perfeitamente amadurecido e espiritualmente válido precisa estar sempre profundamente ligado ao crescimento pessoal. No momento em que o relacionamento é percebido como irrelevante para o desenvolvimento interior e, por assim dizer, abandonado à própria sorte, ele começa a tropeçar. Somente quando os dois parceiros crescem até o máximo do seu potencial é que o relacionamento pode tornar-se mais e mais dinâmico e vivo. Esse trabalho precisa ser feito individualmente e em conjunto. Se o relacionamento é encarado dessa maneira, seus alicerces se apóiam na rocha, não na areia. Medo nenhum jamais criará raízes em tais circunstâncias. Os sentimentos se ampliam, e aumenta a segurança de cada um e em cada um. A qualquer momento, cada parceiro serve como espelho do estado interior do outro e, por conseguinte, do relacionamento.

O conflito ou a apatia indicam sempre que alguma coisa está travada. Existe não esclarecida entre os dois alguma interação, que precisa ser examinada. Se ela for entendida e analisada, o desenvolvimento será retomado com velocidade máxima e, no plano dos sentimentos, a felicidade, o contentamento, a experiência profunda e o êxtase serão sempre mais intensos e belos, e a vida adquirirá um novo significado.

Inversamente, o medo da intimidade implica rigidez e recusa em assumir uma parcela de responsabilidade pelas dificuldades do relacionamento. Qualquer pessoa que ignore esses princípios, ou que os aceite apenas da boca para fora, não está emocionalmente preparada para assumir a responsabilidade pelo seu sofrimento interior — havendo ou não um relacionamento.

Assim, meus amigos, vocês vêem que é da maior importância reconhecer que *o contentamento e a beleza, que são realidades espirituais eternas, estão ao alcance de todos os que procuram a chave dos problemas na interação humana, bem como da solidão, no seu próprio coração. O verdadeiro desenvolvimento é tanto uma realidade espiritual como o são a satisfação profunda, a viva animação e o relacionamento feliz e alegre.* Quando vocês estiverem interiormente preparados para se relacionar com outro ser humano dessa maneira, *encontrarão o parceiro adequado*, com o qual será possível esse tipo de partilha. O uso dessa chave importantíssima já não inspirará temor nem revolverá medos conscientes ou inconscientes. Vocês jamais se sentirão impotentes ou vitimizados quando ocorrer em sua vida essa importante transição e pararem de culpar os outros pelo que vivem ou deixam de viver. Nesse estágio de desenvolvimento e de satisfação, a beleza e a vida transformam-se em uma só coisa.

Que vocês levem consigo esse novo material e a energia interior despertada pela boa vontade. Que essas palavras possam ser o início de uma nova maneira de encarar a vida, para finalmente poderem dizer: "Quero expor meus bons sentimentos. Quero procurar a causa dentro de mim, e não no outro, para passar a ser livre para amar." Esse tipo de reflexão, sem dúvida, dará frutos. Se vocês levarem consigo uma semente, uma parcela desta palestra, ela terá sido realmente proveitosa. Abençoados sejam todos vocês, meus caríssimos amigos, para que se tornem os deuses que potencialmente são.

CAPÍTULO 5

Reciprocidade: lei e princípio cósmico

Saudações, meus amigos! Bênçãos e amor para todos vocês. O tema da palestra desta noite é a reciprocidade. Vou dividir o assunto em três partes: reciprocidade como lei e princípio cósmico; de que modo esta lei se manifesta na vida humana; e natureza e origem dos entraves que perturbam o equilíbrio da reciprocidade.

Não pode haver criação se não houver reciprocidade. Reciprocidade significa que duas entidades ou aspectos, aparentemente ou superficialmente diferentes, se aproximam um do outro com a finalidade de se unir e formar um todo abrangente. Um se abre ao outro, coopera com ele e o afeta, criando uma nova manifestação divina. *As novas formas de auto-expressão só podem adquirir vida quando o eu se funde com alguma coisa além de si mesmo.* A reciprocidade é o movimento que elimina a distância entre a dualidade e a unidade. Sempre que existe separação, é preciso que passe a haver reciprocidade para acabar com a separação.

Nada pode ser criado se não houver reciprocidade, seja uma nova galáxia, uma obra de arte ou um bom relacionamento entre seres humanos. Isto se aplica até à criação do objeto mais simples. Primeiro, é preciso que a idéia do objeto se forme na mente. Sem inspiração criativa e imaginação, através das quais a mente ultrapassa a percepção anterior do que já existe, nem sequer um plano pode ser concebido. O aspecto criativo, então, coopera com o segundo aspecto da reciprocidade, ou seja, a execução, que implica trabalho, esforço, perseverança e autodisciplina. O primeiro aspecto, o pensamento criativo e a inspiração, não pode concluir a criação enquanto o segundo aspecto, a execução, não é introduzido.

Os seres humanos não são criativos por dois motivos: não estão dispostos a adotar a autodisciplina necessária para levar a cabo suas idéias criativas, ou são emocional e espiritualmente retraídos demais para abrir seus próprios canais de criação. Quando as pessoas começam a solucionar os conflitos interiores e ficam mais saudáveis e equilibradas, elas encontram esses canais pessoais de vazão da criatividade, que produzem a mais profunda satisfação.

A reciprocidade como ponte

O desequilíbrio dos dois aspectos da criação é particularmente notório na área dos *relacionamentos humanos*. O movimento que reúne duas pessoas, pela atração inicial e pelo amor, é criativo, espontâneo e desenvolto. No entanto, a ligação raramente se mantém. O que acontece na maioria das vezes é que a tarefa de solucionar as dissensões internas ocultas é negligenciada. Prevalece a idéia infantil de que o eu é impotente para determinar o rumo do relacionamento. Em geral, este é tratado como se fosse uma entidade distinta que, para o bem ou para o mal, segue seu próprio curso.

A reciprocidade é a ponte que leva à unificação. É preciso que dois movimentos de expansão se toquem, numa interação harmônica de dar e receber, de cooperação mútua e abertura positiva. Duas "correntes de aquiescência" — manifestações de intenções positivas — devem se encontrar. A capacidade de aceitar, de suportar e sustentar o prazer só pode ser aprendida gradualmente, e é uma das metas mais difíceis de alcançar. Essa capacidade depende diretamente da integridade espiritual e emocional da pessoa. Segue-se que *a reciprocidade depende da capacidade de a entidade dizer "sim" quando ouve um "sim".*

Isto nos leva à segunda parte desta palestra.

Como se aplica o princípio da reciprocidade ao atual estágio de desenvolvimento da humanidade?

Existem três graduações.

O ser humano menos desenvolvido, e ainda cheio de medo e concepções erradas, pode expandir-se muito pouco. Como expansão e reciprocidade são interdependentes, a reciprocidade é impossível na medida em que a expansão é recusada. Todos os seres humanos, até certo ponto, têm medo de se abrirem, como vocês bem sabem. Talvez vocês não desconfiem que esse medo também existe em vocês. Ou, se suspeitarem, talvez consigam interpretá-lo de outra forma, pois têm vergonha em admiti-lo. Talvez achem que existe alguma coisa particularmente errada com vocês, alguma coisa que não está presente em nenhum outro ser humano de valor. Por isso, não querem deixar que ninguém suspeite desse defeito. Mas, à medida que prossegue o trabalho interior, vocês aprendem a admitir e a aceitar sem reservas, e a entender corretamente, a universalidade do problema, podendo então reconhecer o medo de se abrir e de se expandir. Pode ser que, às vezes, vocês estejam bem cientes desse modo e da forma como refreiam a energia, os sentimentos e as forças vitais, por julgarem que esse tipo de controle lhes dá mais segurança. Os problemas com a reciprocidade dependerão do procedimento de vocês nesse particular.

As pessoas menos desenvolvidas e mais desligadas de sua verdade interior não estão prontas para nenhum tipo de expansão e, portanto, de reciprocidade. No entanto, isto não significa que o anseio pela reciprocidade esteja eliminado; *ele está sempre presente.* Algumas entidades, contudo, conseguem abafar o anseio de expansão e de reciprocidade, talvez durante encarnações inteiras, sem perceber que falta tanta coisa às suas vidas. Elas se contentam com a pseudo-segurança da separação e do isolamento, pois estes são menos ameaçadores, ou assim parece.

Mas quando o desenvolvimento avança um pouco mais, o anseio se torna mais forte e mais consciente. Há muitos graus e muitas alternativas. Para maior clareza, vamos simplificar ao máximo: *as pessoas do segundo estágio estão dispostas a se abrir, porém ainda sentem medo quando surge uma oportunidade de real reciprocidade. A única forma que as pessoas desse estágio têm de experimentar o contentamento e o prazer da expansão e da união é a fantasia.*

Isto leva a uma instabilidade muito comum e freqüente de experiências. As pessoas desse estágio estão convencidas de que o forte anseio indica que já estão preparadas para a verdadeira reciprocidade. Afinal, em sua fantasia elas já passaram por essa bela experiência! O fato de a experiência ainda não ter passado à realidade é atribuído à falta de sorte em encontrar o parceiro certo, com quem as fantasias poderiam se concretizar. Quando finalmente aparece um parceiro, o velho medo continua avassalador. Os movimentos da alma se retraem e a fantasia não pode ser realizada. Normalmente, a pessoa procura explicações em circunstâncias externas de todo tipo, o que pode até ser verdadeiro. O parceiro pode, de fato, ter deficiências demais para que o sonho se concretize. No entanto, esse mesmo fato não indica que alguma força mais profunda deve estar operando na psique dessa pessoa, fazendo-a atrair um parceiro que parece justificar o movimento de retração? Pois o eu profundo sempre sabe em que ponto a pessoa se encontra. Se continuar a haver falta de vontade de enfrentar sinceramente as questões mais profundas, os subterfúgios e as desculpas são muito necessários para a preservação do ego. No entanto, o fracasso no relacionamento sempre indica que o eu ainda não está pronto para colocar em prática a verdadeira reciprocidade.

Muitas pessoas continuam alternando períodos de isolamento e desejos internos e períodos de satisfação temporária, de modo que obstáculos externos ou internos impedem a reciprocidade total. As decepções que daí decorrem podem acrescentar ainda mais justificativas aos medos inconscientes que alimentam a decisão de não se abrir e acompanhar a correnteza da vida. A dor e a confusão muitas vezes atingem profundamente as pessoas presas a esse estágio. Mas essa dor, essa confusão acabarão levando a mais trabalho com o eu e ao compromisso pleno de encontrar a fonte interior dessa instabilidade.

O significado desse estágio raramente é compreendido. A dor e a confusão estão presentes porque a verdadeira importância da instabilidade não é reconhecida. Quando uma pessoa em desenvolvimento percebe que os períodos de solidão proporcionam a oportunidade de abrir-se com relativa segurança e sentir, mesmo que seja por meio do outro, certa satisfação, sem correr os riscos correspondentes, essa pessoa deu, na verdade, um passo substancial no sentido do conhecimento de si mesma. Ao mesmo tempo, ao reconhecer a real importância das dificuldades encontradas nos períodos em que faz tentativas de se relacionar, acontece a mesma coisa. Os períodos alternantes de solidão e relacionamento são dotados de válvulas de segurança: cada um deles preserva o eu no seu estado de separação e, simultaneamente, ajuda-o a se aventurar até o ponto em que a entidade está preparada para renunciar à separação.

Em algum ponto da estrada da evolução individual, porém, todas as pessoas chegam a reconhecer sem reservas como é dolorosa essa instabilidade, o que leva posteriormente ao compromisso de se abrir à reciprocidade e à satisfação, à interação e à expansão, à cooperação e ao prazer positivo. Isso sempre exige a renúncia ao prazer negativo da pseudo-segurança. A alma, então, está pronta para aprender, para experimentar, para correr o risco da reciprocidade, do amor, do prazer, e atuar com segurança em estado de abertura.

No terceiro estágio estão as pessoas capazes de manter a reciprocidade na realidade — e não na fantasia, não apenas como um desejo. É desnecessário dizer que nem todos os relacionamentos estáveis da terra exibem reciprocidade verdadeira. De fato, eles são muito raros. A maioria dos relacionamentos se baseia em outras premissas, ou então a intenção da reciprocidade estava presente de início mas foi abandonada quando se tornou impossível mantê-la, sendo então substituída por outros laços.

Estes são, basicamente, os três estágios que a humanidade atravessa no tocante à reciprocidade. É claro que eles não podem ser diferenciados com linhas tão nítidas. Muitas vezes existe sobreposição, oscilação e intercâmbio entre eles; há muitos graus que se aplicam a cada um dos diferentes níveis da personalidade. O que talvez seja verdadeiro com relação a um nível de uma pessoa em particular pode não se aplicar a outro nível.

O que impede a existência de reciprocidade entre os seres humanos?

Vamos agora passar para a terceira e, talvez, mais importante parte desta palestra. Quais são os obstáculos que impedem a reciprocidade entre dois seres humanos? A explicação dada, em parte correta, são os problemas das pessoas. No entanto, isso não é tudo.

Só pode haver reciprocidade na medida em que as pessoas conhecem e contatam o seu lado destrutivo, anteriormente oculto. Inversamente, se existe uma fratura entre o esforço *consciente* visando à bondade, ao amor e à generosidade, e a inclinação *inconsciente* para a destrutividade, não pode haver reciprocidade. Quero frisar que a reciprocidade não está ausente porque os aspectos negativos continuam presentes, e sim *porque eles não são suficientemente percebidos.* Esta é uma distinção importantíssima. *Em geral, os seres humanos encaram esse problema exatamente pelo prisma oposto. Acreditam que precisam primeiro erradicar o mal ainda existente, caso contrário não são merecedores do contentamento decorrente da reciprocidade.* O mal interior é assustador demais para ser reconhecido e, portanto, a cisão entre a percepção consciente do eu e a recusa inconsciente do eu amplia-se durante a vida.

Se você estiver desligado do seu inconsciente, precisará manifestar aquilo que, lá no fundo, sabe que existe no seu interior. Você o manifestará com outra pessoa e afetará o inconsciente e o nível oculto dessa pessoa. A menos que essa chave seja aplicada, os relacionamentos necessariamente tropeçam ou se deterioram, e a reciprocidade, na sua verdadeira acepção, não pode se desenvolver. Portanto, é muito importante que se tenha *contato cada vez maior com os aspectos destrutivos inconscientes do seu ser.* Como parece difícil preencher a lacuna entre o bem consciente e o mal inconsciente! Quanto esforço exige de todos, e quantas pessoas são tentadas a abandonar totalmente essa empresa, porque parece doloroso e difícil demais aceitar os aspectos antes inaceitáveis de si mesmas! No entanto, antes disso, a vida não pode ser realmente vivida.

A menos que a cisão entre o eu consciente e o eu real, que abrange os aspectos inconscientes, seja trazida à consciência, ela reaparecerá entre vocês e os outros. Conscientizar-se do eu real é começar a preencher essa lacuna — a consciência a diminui. A consciência, no fim das contas, leva à aceitação do que era anteriormente negado. Se não houver reciprocidade entre vocês e todos os aspectos de vocês mesmos, por causa de padrões, exigências e expectativas irrealistas, é absolutamente inconcebível que algum dia possa existir reciprocidade entre vocês e os outros.

A reciprocidade entre você e o seu eu interior está ausente quando a sua maldade interior é negada. *Quem rejeita o mal ignora e nega a energia criativa original e vital contida em toda maldade.* É preciso ter acesso a essa energia para poder tornar-se íntegro. A energia só pode ser transformada quando a pessoa está ciente do desvirtuamento da sua forma: no entanto, se você rejeitar sua manifestação atual, como poderá transformá-la? Portanto, a divisão interna persiste. E quando essa divisão não é consciente, ela se reflete nos relacionamentos — ou na sua falta. Por piores e mais inaceitáveis que sejam quaisquer traços seus, por mais indesejáveis e perniciosos que sejam, a energia e a substância que os compõem são uma força vital, sem a qual vocês não podem funcionar completamente. Só na condição de pessoas íntegras é que vocês conseguem alimentar o prazer; e só como pessoas plenamente conscientes é que vocês podem ser íntegros. Só então vocês deixarão de bloquear o movimento de expansão e poderão fluir no universo de outra entidade, permanecendo abertos para receber dela correntes de energia e movimentos da alma.

As chaves do trabalho interior

A desunião interior não pode trazer a união com os outros. É rematada tolice esperar que isso aconteça. No entanto, *vocês não precisam esperar até estarem totalmente unificados.* Se vocês usarem seus relacionamentos como gabarito para medir o estado da cisão interna e a disposição em aceitar sua parte negativa, caminharão para uma maior aceitação de vocês mesmos. Simultaneamente, a capacidade de agir com reciprocidade crescerá proporcionalmente a essa aceitação. Portanto, seus relacionamentos melhorarão e ficarão muito mais significativos. A aceitação de qualquer parte que vocês tenham rejeitado em si mesmos, recusando-se a torná-la consciente, resultará imediatamente em maior aceitação e compreensão das pessoas com as quais vocês lidam. A partir daí, a reciprocidade se tornará possível.

Da mesma forma, quem não consegue aceitar o seu lado mau, pensando que "primeiro eu preciso ser perfeito para depois poder me aceitar, amar e confiar em mim", demonstrará uma atitude idêntica em relação aos outros.

Quando a realidade mostrar que o outro está longe de ser perfeito, ele é rejeitado, assim como a própria pessoa sistematicamente se rejeita. A diferença é que, na maior parte do tempo, vocês conseguem não ver o que fazem a si próprios. Isso é muito lamentável. Vocês conseguem não encarar imparcialmente a rejeição do seu eu imperfeito e do outro: vocês racionalizam. Isso provoca uma divisão interior que torna impossíveis a reciprocidade e o contentamento.

Todos vocês podem aproveitar estas palavras como uma chave muito prática e pronta para ser usada no trabalho interior. Podem examinar as relações com a família, os parceiros, os associados, os amigos, os contatos profissionais. Examinem de perto qualquer situação em que haja envolvimento com outras pessoas se houver alguma coisa, nessas pessoas, que seja motivo de perturbação. Até que ponto vocês realmente se abrem à realidade do outro? Se responderem com sinceridade e concluírem que não estão se abrindo, usem esta chave. Naturalmente, é fácil evitar essa visão ocupando-se com explicações, justificativas, racionalizações — e até com uma forte sensação de culpa, muito passível de ser confundida com auto-aceitação, mas que está tão longe desta como a auto-rejeição explícita. Nas camadas emocionais mais profundas, vocês verão que, em muitos casos, há muito pouca disposição em aceitar os outros. Descobrindo aos poucos o quanto são intolerantes e críticos com os outros, vocês perceberão que fazem exatamente a mesma coisa consigo mesmos.

Quem está envolvido com relacionamentos insípidos e insatisfatórios, sem intensidade, sem gratificação e intimidade, onde só se mostra superficialmente — talvez revelando apenas a imagem idealizada de si mesmo que julga ser a sua única faceta aceitável —, terá também uma boa medida de onde está internamente. Essa pessoa não está nem mesmo se arriscando, pois é incapaz de se aceitar. Portanto, não pode acreditar que o seu eu verdadeiro e autêntico possa ser aceito, nem consegue aceitar os outros como são no seu estágio atual de desenvolvimento. Tudo isso exclui a reciprocidade.

A postura aberta e receptiva, o tranqüilo contentamento sentido ao flutuar em outro campo de energia e aceitar o que emana dele — esse contentamento é intolerável e parece perigoso para quem se detesta. Se vocês se retraem depois de se soltar por algum tempo, podem perceber que isso não acontece porque vocês são maus e não merecem a felicidade, mas porque não conseguem aceitar integralmente as forças e energias que atualmente existem no seu íntimo. Dessa forma, vocês ficam presos na fase de retraimento, sem poder transformá-la em expansão.

Assim, o princípio da reciprocidade precisa ser aplicado primeiro ao relacionamento entre cada um e o eu interior; só então ele pode ser estendido ao relacionamento com os outros. Mas quero dizer-lhes, meus amigos, da posição privilegiada que me é proporcionada pelo meu grau superior de consciência, que *todas as separações que parecem tão reais na realidade de vocês são tão ilusórias quanto à cisão interior.* É um artefato cuja existência se deve exclusivamente ao fato de alguma coisa ser rejeitada. Ao fechar os olhos e a consciência para a totalidade do que são neste estágio, vocês criam dois eus aparentes: o aceitável e o inaceitável. Mas, na realidade, não há duas entidades: ambas são vocês, quer queiram quer não queiram saber disso agora. Cada um de vocês é, realmente, duas pessoas? É claro que não. A mesma ilusão se aplica a todas as entidades aparentemente separadas. Nesse caso, também, a separação é uma criação arbitrária e artificial da mente. Na verdade, essa divisão não existe. Essa idéia pode não ser fácil para vocês a essa altura, mas o fato é que os seres humanos vivem com a ilusão geral da separação, que é a causa da dor e da luta. *Na realidade, tudo é um, e todas as entidades estão ligadas a tudo o mais no universo* — e não se trata apenas de uma metáfora. Uma só consciência permeia o universo e tudo o que nele existe. Mas vocês só poderão começar a sentir essa unidade quando nenhuma parte da personalidade de vocês for excluída, rejeitada ou cortada.

Alguém quer fazer perguntas sobre este tema?

Fluxo de energia e reciprocidade

PERGUNTA: Você poderia falar sobre os aspectos da reciprocidade no plano físico, mental e espiritual do ponto de vista energético?

RESPOSTA: Sim. Do ponto de vista energético, o movimento de expansão é voltado para fora. Quando dois seres humanos se abrem um para o outro, reciprocamente, e são capazes de aceitar o fluxo do outro sem retração, a energia de um interpenetra o campo de energia do outro e vice-versa. Trata-se de um intercâmbio, de um fluxo cruzado constante. É diferente quando duas pessoas continuam separadas, se retraem, não conseguem abrir-se à reciprocidade. Estas ficam encapsuladas, cada uma como uma ilha, com pouca ou nenhuma troca de energia. E, quando o intercâmbio de energia é bloqueado, há um atraso no grande plano da evolução.

Quando uma pessoa só consegue se abrir quando não há possibilidade de reciprocidade, ou quando uma corrente de aquiescência encontra uma corrente de negação, porque a reciprocidade ainda parece muito assustadora, um fluxo de energia é liberado, mas é repelido e devolvido, pois o outro campo de energia está fechado. Este se assemelha a um muro que detém o fluxo que se aproxima. Assim, os dois fluxos jamais podem transformar-se em um. Esse fenômeno é fácil de observar na vida do dia-a-dia. As pessoas se apaixonam e não são correspondidas, ou, por motivos aparentemente incompreensíveis, se "desapaixonam" quando o parceiro tem sentimentos muito fortes. O mesmo princípio existe nos relacionamentos já estabelecidos: quando um está aberto, o outro está fechado, e vice-versa. Apenas o desenvolvimento constante e o crescimento mudam esse quadro, de modo que ambos aprendam a permanecer abertos ao outro.

Nos planos espiritual e emocional, o estágio mais baixo indica um medo muito forte. *O medo de aceitar o eu no seu estágio atual é essencialmente o mesmo medo que quer fugir da verdadeira reciprocidade e da felicidade.* Como o medo está presente, o ódio, com todos os seus derivados, também está.

Os planos mentais são afetados por esse processo de fuga quando uma pessoa busca explicações prontas para o que não pode ser entendido enquanto o eu não for aceito como é no momento. A mente fica tão agitada que não consegue sintonizar as vozes superiores do eu, as verdades mais profundas do universo. Assim, cria-se mais separação. O ruído mental cria mais desligamento em relação aos sentimentos e ao estado que gerou essas condições. Essa pessoa ou entidade é forçada, por sua própria escolha, a viver num estado constante de frustração e de insatisfação. Fisicamente, é claro que isso gera bloqueios corporais.

No segundo estágio, em que abertura e retraimento se alternam, a pessoa fica mentalmente confusa. Pesquisar e proceder por tentativas não pode resultar em respostas verdadeiras enquanto o eu não é aceito com o que tem de pior. A confusão mental gera mais frustração e raiva. As interpretações errôneas que deveriam explicar por que essa pessoa nunca consegue a reciprocidade só aumentam a frustração e, conseqüentemente, a raiva e o ódio. No plano emocional, o desejo e a decepção se alternam com a satisfação na fantasia. Isso indica certo grau de abertura e de fluxo, embora sem reciprocidade verdadeira, mas com retraimento e recuo, acompanhados de raiva e ódio, decepção e acusação.

Quando a aceitação de si mesmo torna possível a reciprocidade e há intercâmbio de energia, os movimentos universais fluem tranqüilamente. A alternação saudável entre os princípios de expansão, contração e imobilidade é a norma quando as pessoas se inserem no ritmo eterno, em harmonia com o universo.

Sejam abençoados, meus queridos. Que esta palestra seja uma pequena luz brilhando dentro de vocês, trazendo esperança e força, mostrando mais um aspecto do caminho, e levando-os com mais firmeza a se aceitarem exatamente como são agora. Não sejam complacentes, não inventem desculpas: vejam as coisas como são. Aceitem totalmente a imperfeição, sem retoques nem exageros, para não se aviltarem na vergonha e no medo. Todas essas formas de desequilíbrio precisam desaparecer, pois são armadilhas mais desastrosas do que qualquer faceta que vocês possam detestar em si mesmos. Adotando essa postura, descobrirão a felicidade e a verdade que unirá vocês com vocês mesmos e com o universo.

PARTE II

Como descobrir e vencer os obstáculos a um relacionamento satisfatório

As palestras desta parte do livro apresentam pormenorizadamente os conjuntos de crenças, expectativas infantis, sentimentos contraditórios e padrões negativos que predominam atualmente e que nos separam uns dos outros. Por que é tão difícil alcançar a união com outro ser humano?

Embora a palavra "inconsciente" seja amplamente usada hoje em dia, a maioria de nós não entende exatamente o que significa ter um imenso repositório de sentimentos e de pensamentos a que normalmente não temos acesso. Isso não teria importância se o material inacessível não influenciasse nossa visão do mundo, o nosso comportamento, toda a nossa vida. Mas ele influencia — e de modo violento. Portanto, é de suma importância permitir que o material inconsciente aflore, e conhecer os segredos de nossa alma, que escondemos até de nós mesmos.

Depois de descrever o território interior a ser explorado, o Guia dá instruções precisas sobre o que fazer para liberar o conteúdo do inconsciente e torná-lo passível de exame. Depois de sabermos o que existe ali, os muros interiores começam a ruir e podemos começar o trabalho de transformação de nós mesmos.

É como se o Guia nos levasse até o pico de uma alta montanha para compartilhar conosco a visão que ele tem da vida humana. Ele mostra as diversas regiões da alma, as saudáveis e íntegras e também as defeituosas:

os atoleiros espirituais e emocionais onde estão as sementes de nossos relacionamentos.

Aprendemos, com espanto, que raramente sabemos o que realmente sentimos, queremos, pensamos ou precisamos. Suposições infantis e incompletas, sentimentos confusos, medos e culpas injustificados e padrões de autopunição vêm à tona quando finalmente nos dispomos a descobrir quem somos e como atuamos no amor e na amizade. A maioria dos nossos problemas tem raízes comuns, porque somos todos humanos, o que é animador saber quando nos dispomos a descobrir as dificuldades e peculiaridades internas específicas de cada um.

Nossa primeira tarefa é curar a alma, mas isso não significa que seja preciso adiar os relacionamentos até estarmos em perfeita harmonia interior. A vida é para ser vivida — mas com uma consciência cada vez maior. Nossos relacionamentos devem acompanhar essa melhora.

Há várias formas de atrair o material vital inconsciente para fora de seu esconderijo. Uma delas é o auto-exame meticuloso, feito com a mente aberta e sem julgamentos. O Guia é insuperável como condutor daquele que busca a verdade pelo labirinto de seu mundo da infância, onde irá defrontar e domar seus monstros particulares. Depois, ficamos cada vez mais preparados para abrir os braços e o coração.

Esta jornada interior também é o caminho de volta ao lar do eu-Deus. Pode ser a maior aventura de sua vida: do isolamento para o amor sem medo. Você está pronto para embarcar?

J.S.

CAPÍTULO 6

O desejo de ser infeliz e o medo de amar

Saudações, caríssimos amigos. Abençôo a todos. Bendita seja esta hora!

A vontade de ser feliz é própria de todo ser vivo. No entanto, o conceito de felicidade varia de acordo com o desenvolvimento de cada um. A idéia que um bebê tem da felicidade é a satisfação instantânea de todos os seus desejos, exatamente como ele quer. Um resquício dessa expectativa infantil perdura em todos os seres humanos pelo resto da vida. Esse *conceito deturpado* acaba provocando uma reação em cadeia, pela qual outro desejo passa a existir na alma humana e este, por estranho que possa parecer, é o *desejo de ser infeliz.*

O conceito maduro de felicidade no seu mais elevado desdobramento poderia ser expresso da seguinte maneira. "Sou independente das circunstâncias externas, sejam elas quais forem. Posso ser feliz em qualquer circunstância, porque sei que até os acontecimentos desfavoráveis ou desagradáveis têm uma finalidade. Eles me ensinam alguma coisa e, assim, levam-me para mais perto da liberdade e da felicidade."

O conceito imaturo de felicidade poderia ser enunciado da seguinte maneira: "Só posso ser feliz se tiver o que quero, do jeito que eu quero e quando quero. Caso contrário, serei infeliz." Está implícita nessa afirmação a exigência de aprovação, de admiração e de amor, em termos absolutos e por parte de todos. No momento em que alguém se recusa a atender a essa exigência, o mundo da pessoa imatura desmorona, como se sua felicidade tivesse ido embora para sempre. Esta, naturalmente, nunca é a convicção intelectual do ser humano adulto, mas é verdadeira do ponto de vista emocional.

Para o ser subdesenvolvido, tudo parece ser branco ou preto, sem gradações. Se as coisas por acaso se adaptam a seus desejos, o mundo brilha. Mas se a mais insignificante coisinha contraria-lhe a vontade, o mundo parece negro.

Quando o bebê tem fome, os minutos parecem uma eternidade, não apenas porque o bebê carece do conceito de tempo, mas também porque não sabe que o período de fome em breve terminará. Assim, o bebê chora desesperado, furioso e infeliz. Essa parte da personalidade, expressa com tanta desenvoltura na infância, permanece oculta na psique do adulto. Ali, sob a máscara da conduta racional, ela continua gerando reações semelhantes.

O bebê percebe muito cedo que é impossível obter o tipo de felicidade que deseja. Sente-se dependente de um mundo cruel, que lhe nega o que ele julga precisar e que certamente poderia ter se o mundo fosse menos cruel.

O desejo do domínio onipotente

Se vocês se detiverem na questão pensando com lógica, verão que o conceito primitivo e deturpado que o bebê tem da felicidade significa, de fato, o desejo do domínio onipotente, de ocupar uma posição especial que daria direito à obediência irrestrita do mundo circundante. A criança exige que todos satisfaçam o que ela deseja. Quando esse desejo não pode ser satisfeito — e nunca pode — sua frustração é absoluta.

Naturalmente, é impossível que algum ser humano se lembre dessas emoções antigas, pois ninguém tem a memória dos primeiros anos. No entanto, é fato que *essas reações primitivas continuam a existir em todos os seres humanos, sem exceção*. Vocês podem descobri-las em si mesmos por meio de vários métodos como, por exemplo, lembrando, observando e analisando as reações passadas ou presentes.

Em primeiro lugar, *descubram a criança em vocês mesmos,* com seus desejos e reações. Concentrem a atenção nesse aspecto específico de sua personalidade. Enquanto não sentirem a criança interior, não poderão entender determinados conflitos interiores.

Quanto mais a criança se desenvolver e aprender a viver neste mundo, tanto mais percebe que o domínio onipotente que deseja, além de ser negado, também é alvo de censuras. Portanto, ela aprende a escondê-lo até o desejo cair no esquecimento. A repressão suscita duas reações básicas. Uma delas é a seguinte: "Talvez, se eu me tornar perfeito, como o mundo me pede para fazer, conseguirei tanta aprovação que, por meio dela, poderei atingir meu objetivo." Começa, então, o esforço pela perfeição. É desnecessário dizer, meus amigos, que embora todos nós estejamos de acordo sobre o fato de que todos os seres devem almejar a perfeição, esse tipo de esforço é errado. É errado por causa da sua motivação: a pessoa não luta pela perfeição para poder amar melhor e dar mais, mas por causa do objetivo egoísta que pretende atingir através da perfeição imediata: o domínio onipotente. Isto, naturalmente, é uma impossibilidade total.

Assim, a frustração é dupla: o primeiro objetivo — o domínio onipotente para ser feliz — não é concretizado; tampouco o segundo desejo é satisfeito, o de atingir a perfeição para poder realizar o primeiro desejo. Esse fracasso, por sua vez, provoca agudos sentimentos de inadequação e inferioridade, de arrependimento e culpa. Pois a criança ainda não sabe que ninguém é capaz de atingir tal perfeição. Ela acredita que é a única a fracassar, e precisa esconder esse fato vergonhoso. Até mesmo o adulto, que conscientemente sabe mais, continua argumentando inconscientemente: "Se eu pudesse ser perfeito, teria tudo o que quero. Como não sou perfeito, não valho nada."

A recusa da responsabilidade pessoal

Ao mesmo tempo, há mais uma reação. Como não pode e não quer assumir toda a responsabilidade pelo seu fracasso, a pessoa culpa o que a cerca. O raciocínio é este: "Se eles me deixassem ser feliz do meu jeito, amando-me e aprovando-me completamente e fazendo o que eu quero, eu poderia ser perfeito. O obstáculo que me impede de conseguir o que eu quero seria eliminado. Portanto, a culpa é 'deles'. Meus fracassos se devem apenas ao fato de eles constantemente se negarem a atender meus desejos." Assim, começa a existir um círculo vicioso de duas mãos, que, num dos sentidos, é mais ou menos assim: "Preciso ser perfeito para poder ser amado e feliz" e, no outro sentido: "Se eu pudesse ter a situação de domínio de que preciso para ser feliz, não seria difícil ser perfeito." Nenhuma dessas metas é possível alcançar. Pois essa pessoa, por um lado, culpa o mundo e, por outro lado, culpa a si mesma.

O conceito errado de felicidade está inevitavelmente ligado ao conceito errado de amor porque, exatamente como acontece com a felicidade, a criança dentro de vocês acredita que a prova do amor é a satisfação de todos os seus desejos. Portanto, para poderem se sentir amados, vocês precisam de "escravos" que se rendam a todos os seus desejos: "Se sou amado, preciso ter vassalos; preciso de um súdito." Se vocês acreditam que é assim — como acredita a criança que existe em todo ser humano —, segue-se que têm medo de amar, pois, quando vocês amam, vocês se transformam em escravos. Se observarem suas reações com muita honestidade, descobrirão em si esses sentimentos, embora talvez jamais tenham tido a coragem de admiti-los. Tentem lembrar e reconhecer as ocasiões em que vocês desejaram ter um súdito para servi-los, e não um objeto de amor.

Quando vocês reconhecerem as distorções infantis inconscientes sobre o amor, serão capazes de perceber as exigências infantis feitas ao outro. Além disso, quando descobrirem e experimentarem a existência de exigências injustas da criança interior, poderão argumentar com ela. Nesse momento, perceberão fatalmente que o amor não significa abrir mão da dignidade, da autonomia, nem da liberdade, e que, portanto, não é preciso ter medo dele. Agora, vocês anulam a capacidade de amar por causa da noção confusa de que o verdadeiro amor significa submissão, e desconfiam dos outros porque fazem exigências desproporcionais para serem amados e servidos.

Quem é imaturo não precisa aceitar a realidade, já que a realidade nem sempre é perfeita ou agradável: nem todos os desejos de uma pessoa são satisfeitos todas as vezes. Só quando crescerem e aprenderem a enfrentar e aceitar o que quer que exista no seu cotidiano e nas suas emoções é que vocês perderão o medo de amar. Ao atingir a maturidade, vocês percebem que só podem esperar conseguir a satisfação final do amor se começarem pelos degraus inferiores da escada. Talvez um deles seja a capacidade de deixar *que os outros tenham os sentimentos que quiserem em relação a vocês*. Se conseguirem sinceramente dar essa "permissão interior", chegarão ao ponto de poderem realmente gostar dos outros e respeitá-los, mesmo que eles não se submetam em tudo à sua vontade. Nesse processo gradual de crescimento e amadurecimento, vocês acabam superando o conflito entre o desejo de viver um grande amor, sem fronteiras, e o desejo simultâneo de fugir dele, por medo.

O conceito certo do amor

Para que isso aconteça, vocês precisam conhecer o conceito certo do amor. *O amor é o maior poder do universo.* Todo ensinamento ou filosofia espiritual, toda religião e até a moderna psicologia proclamam essa verdade. Com ele, vocês são poderosos, são fortes, estão seguros. Sem ele, vocês são pobres, separados, isolados e medrosos. O conceito certo do amor inclui a possibilidade de amar independentemente de ser amado pelo outro. Esse amor é incondicional. Mas, para quem nunca foi tão longe, não adianta forçar. A compulsão e a incapacidade de seguir até o fim só aumentariam os sentimentos de fracasso e culpa o que, por sua vez, levaria à tendência autodestrutiva. Além do mais, o desejo do amor ideal e altruísta pode ser facilmente distorcido pelo *desejo doentio de sofrer*. Assim, se por algum tempo vocês não são amados e acham impossível amar, basta que reconheçam esse fato, sem culpa. Esse é o primeiro passo para a transformação.

O desejo de ser infeliz

Pois bem, como tudo isso leva ao desejo de infelicidade? Como eu disse, a personalidade humana acha cada vez mais impossível encontrar a felicidade dentro desses conceitos errados formados na infância. Em vez de encontrar o caminho certo, substituindo os conceitos errados pelos corretos, *vocês tentam enquadrar a vida à força nos conceitos errados*. Quando isso se mostra impossível, vocês procuram outra saída, que, apesar de parecer uma solução, revela-se ainda mais prejudicial a longo prazo. O raciocínio é inconsciente: "Como a felicidade me é negada e a infelicidade é inevitável e me é imposta contra a minha vontade, posso muito bem tirar o melhor proveito dela e transformar um passivo num ativo. Como não posso evitar a infelicidade, posso muito bem desfrutá-la. Além do mais, quero atenuar a humilhação de me sentir uma presa indefesa dessa infelicidade que me foi imposta contra a minha vontade. Se eu mesmo provocar a infelicidade, não ficarei tão indefeso."

Superficialmente, esta pode parecer uma solução brilhante, mas é claro que não é. Embora certos aspectos da infelicidade possam ser desfrutados de modo doentio, há necessariamente outros aspectos extremamente dolorosos que *não podem* absolutamente ser desfrutados. Mas, no início, vocês ignoram esse fato; ele não entra na negociação e, quando acontece, vocês não percebem que ele está ligado ao processo aqui descrito. Como o processo todo, de qualquer forma, é inconsciente, os aspectos desfrutáveis da infelicidade nunca são associados à noção de que a infelicidade foi autogerada. Só por meio do rastreamento dessas emoções e reações, no decorrer do trabalho com o eu, é que vocês descobrirão os padrões pelos quais, repetidamente e de formas sutis e ocultas, *provocam as pessoas* e suscitam determinadas situações para provocar a ocorrência de *episódios infelizes, de injustiças, insultos, erros e mágoas.* Depois que descobrirem como provocaram tudo isso, vocês também serão capazes de descobrir o que, de certa forma, *lhes agrada* nisso tudo — por mais que a mente consciente abomine alguns de seus aspectos. Vocês podem gostar, por exemplo, de provocar os outros e do sentimento de piedade por si mesmos que ocorre depois. Tudo isso raramente acontece de forma muito evidente, embora às vezes seja bastante perceptível para quem está de fora. Na maioria das vezes, acontece com tanta sutileza que escapa totalmente à sua atenção — a menos que *vocês desejem sinceramente perceber.*

Esta saída errada também usa o seguinte raciocínio infantil: "Como só existem o branco e o preto, e o branco me é negado, vou aproveitar o preto total." Este processo interior desencadeia toda uma reação em cadeia, dotada de novo ímpeto. Como o desejo de ser infeliz é inconsciente, as ofensas recebidas ao provocar a infelicidade fazem com que vocês se sintam ainda mais inadequados, e que o mundo pareça ainda mais cruel e injusto.

Muitas vezes se diz que a autodestrutividade, ou seja, o desejo de ser infeliz, é resultado de sentimentos de culpa profundamente enraizados. Esta é uma verdade parcial. O oposto é mais verdadeiro. *A verdadeira culpa e vergonha são decorrência do fato de se provocar a infelicidade e colher seus infortúnios. Esta é a mãe de todas as culpas.*

Quando estiverem prontos para enfrentar tudo isso dentro de si, e conhecerem de fato esses sentimentos, a vida de vocês começará gradualmente a mudar, sob muitos aspectos. Ao perceberem como, repetidamente, vocês provocam a infelicidade, deixarão de agir assim. Vocês perçeberão que *isso já não é absolutamente necessário.* Quando adquirirem uma visão mais madura da vida, deixarão de desejar o domínio. À medida que aprenderem a abrir mão, voluntariamente, desse falso desejo, vocês deixarão de provocar infelicidade e infortúnio. Nesse momento, será eliminado um dos obstáculos ao relacionamento satisfatório, no qual é possível ser feliz, amar e ser amado.

Abençôo a todos os que ouvem e lêem as minhas palavras. Que a divina luz e força, verdade e amor estejam com vocês e aliviem o seu fardo. Fiquem em paz, fiquem com Deus.

CAPÍTULO 7

O desejo válido de ser amado

Saudações, caríssimos amigos! Bênçãos para todos. Bendita seja esta hora. Que vocês possam encontrar orientação sobre o que for mais necessário.

No caminho da auto-análise, aprende-se não apenas a lidar melhor com as dificuldades, mas também com os tempos felizes. A pessoa que ainda está na escuridão e na ignorância dos fatos da existência humana e da importância da vida pode não lidar com os acontecimentos felizes melhor do que com os adversos. Ambos exigem sabedoria, maturidade e o conhecimento espiritual que proporciona o verdadeiro incentivo para o autoconhecimento, para que a busca seja empreendida de modo construtivo.

O desejo de ser amado existe em toda alma humana. Esse desejo, em si, não é apenas legítimo e saudável, mas também, a seu modo, criativo, ou leva à criatividade. A falta de amor pode levar à paralisia das forças criativas da alma. Para satisfazer o anseio de serem amadas, as pessoas muitas vezes escolhem o caminho errado, em parte porque o anseio é inconsciente. Até ser examinado à luz da razão e da realidade, esse desejo é contraproducente e, portanto, gera frustrações. Como, pois, o desejo tantas vezes é inconsciente? Em primeiro lugar, vamos examinar a razão disso.

O desejo de amor da criança é ilimitado, mas ela é levada a achar que esse desejo de amor exclusivo e ilimitado é errado: portanto, sente culpa.

É verdade que o desejo de amor exclusivo e ilimitado é irrealista e imaturo. Mas, como o desejo permanece insatisfeito, a criança chega à conclusão errada de que o desejo de amor, em si, é errado. A conclusão certa seria: "Não posso ter o tipo de amor que queria até agora. Mas tenho o direito de ser amado. Isso pode acontecer contanto que eu, por meu turno, aprenda a amar da forma certa e madura."

A vergonha de desejar

O primeiro equívoco, portanto, é que o desejo de ser amado é motivo de vergonha. Esse desejo, então, é reprimido e, por isso, acarreta muitas conseqüências infelizes.

Alguém pode pensar: "Comigo, esse desejo de maneira nenhuma está reprimido. Tenho plena consciência dele." Sim, vocês podem ter ciência do desejo — até certo ponto. Mas, mesmo assim, continuam apenas parcialmente conscientes da tristeza e encontram um *substituto* do amor que não recebem. A luta é desgastante e provoca reações que torpedeiam a meta desejada. Cada um de vocês, do seu próprio jeito, precisa descobrir de que forma e sob que aspectos seus conflitos estão relacionados com esse esforço universal.

Apesar da vergonha causada pelo desejo de amor e sua subseqüente repressão, não é possível silenciar por completo essa voz clamorosa. A voz está lá, mas só pode se expressar como um desvio; é por isso que vocês não conseguem obter o amor que desejam. Mas vocês ainda não sabem disso. No fundo, pensam assim: "Querer ser amado é um erro. Não tenho o direito de ser amado, não mereço. É por isso que não consigo." Mas a voz interior, que jamais pode ser silenciada, continua lutando, à sua maneira errada, persistindo na atitude que faz com que vocês sejam menos amados. Se vocês desistissem de procurar da forma errada, perceberiam que o seu eu verdadeiro pode ser, e será, amado. O círculo vicioso, nesse caso, seria rompido.

A substituição do amor pela aprovação

Pois bem, qual é a maneira errada? É a substituição do desejo de ser amado pelo desejo de ser aprovado, de brilhar, de ser melhor que os outros, de impressionar as pessoas, de ser importante. De certa forma, isso parece menos vergonhoso. Assim, as pessoas passam pela vida tentando constantemente se justificar. A substituição pode assumir várias outras formas: fazer com que os outros concordem com vocês ou sigam os seus passos; ou provar que vocês concordam com os outros, que estão de acordo com a opinião pública ou a opinião de determinadas pessoas, ou com o que julgam ser a opinião delas — nem sempre as duas coisas são iguais. Todas essas atitudes, e muitas outras, são meros substitutos da ânsia de ser amado.

Uma tendência freqüente — a de se enquadrar, de ser a "criança obediente" —, faz parte desse conflito. A tendência que vem para primeiro plano não é a mesma em todas as pessoas. Interiormente, vocês não estão cientes do desejo original, e muitas vezes nem mesmo do desejo substituto — a luta para se justificar para os outros.

A compulsão para provar alguma coisa existe em todas as pessoas; é apenas o seu grau que varia. Enquanto vocês não entenderem a natureza dessa compulsão — depois de comprovarem que ela existe — não poderão atinar com nenhuma solução e serão incapazes de desistir da luta compulsiva. Mas, se procurarem na direção certa, além de *saberem,* com o intelecto, que existe tristeza pela insatisfação, também poderão *sentir* — e isso é bom. Perceberão, nesse caso, que o esforço pela aprovação, para provar uma ou outra coisa, faz de vocês pessoas concentradas apenas em si mesmas, orgulhosas, arrogantes, superiores — ou submissas e, em conseqüência disso, ressentidas. Esse esforço contribui muito para que vocês não sejam amadas, quando *poderiam* ser, se se libertassem de toda essa camada que insiste em querer o substituto do verdadeiro anseio. Se vocês se permitirem sentir o anseio original, sem medo da suposta "humilhação" e "fraqueza" nele implícitas, sem medo de sentir a simples tristeza, cujo efeito nunca é prejudicial à alma, estarão contribuindo muito para a sua própria satisfação. E perceberão que o que não é digno de amor não são vocês, e sim essa máscara artificial trabalhosamente elaborada. Em vez de se atolar no sentimento nocivo de piedade por si mesmo, vocês se desenvolverão o bastante para afastar as tendências que os impedem de receber o que merecem.

Mais ainda, vocês perceberão que essa luta é totalmente inútil. Nada que não seja autêntico pode trazer o sucesso. E uma camada sobreposta, cobrindo um desejo original, nunca é autêntica. Mesmo que vocês consigam uma vitória temporária — admiração, aprovação, seja o que for — a sensação final será de insatisfação e de amargura. A decepção será inevitável, pois vocês não conseguem nunca chegar ao ponto desejado; a vitória é passageira e não abrange todas as pessoas que vocês gostariam de agradar. Mas, acima de tudo, essa vitória será decepcionante porque não é o que vocês realmente desejam. A frustração e a infelicidade sempre têm raízes nesse conflito.

Vocês lutam como se a vida de vocês estivesse em jogo — por dentro. É preciso admitir esse conflito para poder revelar o desejo original de ser amado, e o sentimento de tristeza por não serem amados como deveriam. Pensem na freqüência com que as reações emocionais são desproporcionais quando alguém discorda de vocês. Entretanto, se estiverem profundamente convencidos de que aquela pessoa os ama de todo o coração, e manifesta seu sentimento com ardor e ternura, a divergência não importa. Todos vocês conseguirão lembrar-se de episódios assim. Isso deve servir para provar que minhas palavras também se aplicam a vocês.

Depois de reconhecer essas emoções, é preciso entender que vocês estão lutando por algo que não desejam de fato, e que a vitória possível jamais será proporcional à desesperada intensidade do esforço. Procurem descobrir especificamente de que forma essa luta para provar alguma coisa, ou provar-se, de uma maneira ou de outra traz à tona o que há de pior em vocês. Como ela aparece exatamente? Esse reconhecimento será menos doloroso e muito mais libertador do que vocês imaginam. Pois, nesse momento, vocês entenderão por que não eram tão amados quanto desejavam, e entenderão que a razão não é o fato de vocês serem o que são, nada podendo fazer a esse respeito. Esse reconhecimento trará ânimo e fortalecimento.

Quando esse esforço para se provar diminui, vocês preparam o caminho para o amor real e maduro. O amadurecimento mental fará com que entendam que o único tipo de amor é o que se recebe de graça. Primeiro, vocês vão começar a *deixar que os outros não os amem, se não quiserem*. Isso pode causar tristeza, mas não causará tensão, nem compulsão, nem obsessão. Será uma tristeza sem a piedade por si mesmo, uma tristeza que não

95

deixa ninguém realmente oprimido. Portanto, não vai fazer de vocês pessoas desagradáveis.

Amor forçado

Por dentro, vocês constantemente querem forçar os outros a amá-los. O disfarce é a vontade de ser aprovado, mas, em última análise, vocês querem forçar as pessoas a amá-los, e amor forçado não é amor. A criança que existe em vocês não percebe isso. Mas quando vocês identificarem essas correntes, detectarão a corrente interior que diz claramente: "Os outros *precisam* me amar." As pessoas mais fracas, com motivações doentias, podem parecer que cedem temporariamente e que obedecem ao seu comando. No entanto, essa reação só pode trazer vazio e decepção, pois não é o que vocês realmente almejam e que, na verdade, não terão enquanto não abandonarem essa atitude de forçar os outros. A alma forte e madura não pode ser coagida a submeter-se. Ela só funciona em liberdade. Além do mais, vocês nunca respeitarão de fato a pessoa que obedecer a esse comando. Só se pode respeitar a pessoa que ama espontaneamente. No entanto, vocês só receberão essa dádiva espontânea se não forçarem. *Não é possível experimentar a dádiva espontânea do amor enquanto a tendência a forçar não for detectada pelo consciente.* Assim, primeiro é preciso deixar as pessoas livres, dando-lhes a opção de amá-los ou não. Isto não significa que vocês sempre ficarão contentes com a opção do outro; no entanto, se enfrentaram a tristeza, ela não lhes fará mal. A gratificação do amor espontâneo será enorme. A essa altura, vocês compreenderão que, no passado, vinham *rejeitando* a oportunidade de receber o único amor verdadeiro e valioso que existe.

Por favor, meus amigos, não me entendam mal. Quando digo que vocês forçam os outros a amá-los, não estou me referindo a atitudes conscientes. Estou falando de emoções. Se vocês entenderem o que está por trás das reações emocionais, verão que tenho razão.

Dar liberdade

Vocês aprenderão agora a tomar a atitude generosa de deixar os outros livres, não apenas para errar, para discordar, para ter fraquezas que vocês talvez reprovem, mas também para amar. Se você está consciente do seu desejo original e, depois, da frustração e, depois, do que faz por causa da frustração e, depois, da tentativa de forçar os outros, você perceberá claramente que são apenas essas atitudes emocionais do inconsciente que impedem a livre dádiva do amor verdadeiro — e não o fato de ela não ser suficientemente boa. Uma pessoa nessas condições está avançando no caminho.

Vamos examinar melhor outro aspecto do processo interior *universal* que acabei de descrever. Vocês querem ser amados e são relativamente incapazes de amar, pelo menos não com a intensidade com que querem ser amados. Esse amor se expressa melhor apenas quando o outro age corretamente. Portanto, vocês exigem algo que não estão dispostos a dar. Exigem amor incondicional. Esperam que o outro os compreenda tão bem que seja capaz de amá-los apesar de suas falhas e de suas várias fraquezas. Não percebem que, com essas fraquezas, sem querer, vocês magoam e decepcionam os outros, assim como estes, muitas vezes, sem querer, magoam e decepcionam vocês por causa das fraquezas *deles*. *Vocês* precisam ser entendidos e amados apesar disso. Mas não estão dispostos a agir na recíproca em relação às fraquezas dos outros. Essa exigência — não verbalizada e inconsciente — é injusta; ela equivale a orgulho, pois vocês reivindicam uma posição especial que não querem conceder aos outros. Essa posição é altamente subjetiva e, portanto, irrealista. Essas atitudes afetam o outro com mais força do que vocês poderiam imaginar nesse momento. É fácil perceber que vocês não lucram nada com essa atitude.

Assim, é necessário aprender a amar, pois só então o efeito desse sentimento sobre os outros fará com que eles lhes dêem amor. Para aprender a amar, o primeiro passo é eliminar a subjetividade. Entre muitas outras coisas, *o amor é objetividade*. A subjetividade gira em turno de si mesma, e amor e egocentrismo não podem coexistir. Todos vocês sabem que o amor não pode ser forçado; ele cresce organicamente à medida que os obstáculos são superados. O egocentrismo e o subjetivismo são os maiores entraves para dar e receber amor.

A disposição para o amor

Nenhum ser humano é totalmente capaz de amor *real* e de objetividade *real*. Mas existem gradações. Na medida em que observam essa falta de objetividade, vocês ficam mais objetivos e, assim, chegam mais perto da capacidade de amar.

A capacidade de amar aumenta constantemente, acompanhando a disposição de amar. A disposição para o amor, por sua vez, cresce proporcionalmente ao desaparecimento do medo de não ser correspondido, ou pelo menos não exatamente da forma ou na velocidade desejadas. Reconheçam o pavor que desperta uma pequena ofensa ou uma decepção. Ao voltarem a visão interior para essa direção, vocês certamente acabarão percebendo que o terror é totalmente ilusório, como a imaginação exagerada. Por causa disso, vocês *relutam* em amar. Portanto, a capacidade de amar fica constantemente diminuída e paralisada. Quando vocês tiverem adquirido a capacidade da visão objetiva e imparcial, não haverá possibilidade de serem feridos pelos instintos doentios dos outros. Vocês já não precisarão manter o equívoco de que a tendência masoquista é uma prova de amor. Ficarão livres da ilusão de que qualquer desatenção, mágoa ou decepção é uma tragédia contra a qual é preciso se proteger.

Recapitulando: a solução para o problema de saber dar e receber amor exige que vocês reconheçam 1) as emoções substitutas, cujo objetivo é, sutilmente, forçar os outros ao amor; 2) a perspectiva subjetiva, encoberta pelas reações emocionais, que impede que vocês amem; 3) o mundo ilusório onde vocês têm pavor da rejeição; 4) o efeito de tudo isso sobre a personalidade e o ambiente de vocês.

O pleno reconhecimento desses elementos exige tempo, perseverança e muita vontade de enfrentar *tudo* o que está dentro de vocês, sem reservas. Quando a verdade dessas palavras adquirir vida dentro de vocês, esses elementos e essas atitudes fatalmente começarão a mudar, de modo gradual, lento porém constante. Com essa disposição, aumentará a capacidade de amar. Vocês saberão discriminar o tipo de amor que desejam dar aos outros, e não ficarão perturbados ao perceber que não recebem o amor de todas as pessoas conforme as exigências da criança interior. O fato de uma pessoa não amar ou não aprovar vocês já não constituirá uma tragédia, como agora, quando essa percepção é de cunho emocional.

À medida que vocês crescerem e amadurecerem, o fato de não serem amados ou de não receberem aprovação não causará perturbação. Por isso, não trará à tona o que há de pior dentro de vocês. Vocês saberão encarar as decepções da vida com uma certa serenidade. Serão capazes de entender e enxergar objetivamente, sem distorções, as pessoas que os irritam. Esta será a realidade emocional profunda de vocês, e não uma realidade superficial ou artificial.

Que estas palavras possam ser o início de uma nova fase de um nível mais profundo para todos vocês. Rezem por uma compreensão mais profunda das palavras que proferi esta noite. Sejam abençoados em nome do Mais Sagrado. Vão em paz e alegria no caminho de libertação. Voltem-se para a maturidade e a realidade com ânimo alegre e paciente. Muitos serão os frutos deste trabalho para todos aqueles que não desistirem. Sejam abençoados, fiquem em paz, fiquem com Deus.

CAPÍTULO 8

Objetividade e subjetividade no relacionamento

Saudações, caríssimos amigos! Trago-lhes bênçãos muito especiais esta noite. Uma forte energia de amor chega até vocês e toca todas as esferas. Quem quer que esteja aberto e em tranqüila harmonia pode receber esta força, que é uma bênção para o corpo, para a alma e para o espírito.

Mencionei em algumas ocasiões a questão da objetividade e da subjetividade. Agora, vou analisar esse tema mais pormenorizadamente, pois a objetividade é essencial para o ser humano livre e harmonioso e para o relacionamento harmonioso. Quanto mais impuros e desarmônicos vocês forem, menos objetivos serão. Objetividade significa verdade. Subjetividade significa verdade matizada, meia-verdade no melhor dos casos, inverdade total em muitos casos. Diferentemente da mentira consciente, a subjetividade resulta em inverdade inconsciente ou não-intencional. Tudo isso emana do nível emocional de uma pessoa.

No começo do trabalho de purificação, vocês descobrirão a inverdade que existe nas profundezas da alma. Depois de desalojar a inverdade, vocês serão capazes de plantar a verdade. Só um rigoroso exame de si mesmo tornará possíveis essas descobertas e a mudança resultante. Esta palestra apresenta mais um ângulo para encarar os relacionamentos em geral e vocês em particular, ajudando a dar mais um passo à frente.

Vamos primeiramente considerar um fenômeno comum: o que vocês consideram um grave defeito nos outros, muitas vezes deixam de ver em si mesmos. Não faz diferença se o defeito é exatamente igual ou ligeiramente diferente. A objeção aos defeitos observados nos outros — em especial no parceiro — pode até ser correta. No entanto, julgar o outro, quando vocês também se afastam do que é certo e bom, representa uma meia-verdade. Além do mais, o defeito do outro pode coexistir com boas qualidades que vocês mesmos não possuem. Assim, o julgamento é matizado, pois a objeção se concentra no ponto fraco, deixando de fora muitas facetas que completariam o quadro.

A concentração nos defeitos dos outros

Assim, meus caros amigos, sempre que julgarem alguém, sempre que se ressentirem de seus defeitos, façam esta pergunta: "Será que eu, talvez de algum modo, não tenho um defeito semelhante? E a pessoa que estou julgando com tanta severidade não tem algumas boas qualidades que eu não tenho?" Em seguida, pensem nas boas qualidades que os outros têm e vocês não. Não se esqueçam também de perguntar se vocês não têm defeitos que a pessoa a quem julgam não tem. Essa consideração ajudará a avaliar com mais objetividade a raiva causada pelos defeitos dos outros, principalmente do parceiro. E, *se por acaso o resultado dessa avaliação mostrar que os seus defeitos são na verdade muito menores e as boas qualidades muito superiores às do outro, mais razão ainda haverá para cultivar a tolerância e a compreensão.* Agindo assim, vocês estariam de fato num estágio superior de desenvolvimento, que significa, sobretudo, a obrigação de ser compreensivo e capaz de perdoar. Se vocês carecerem dessa capacidade, todas as qualidades superiores não significarão nada! Mas, se fizerem uma séria tentativa nesse sentido, o eu-Deus ajudará a aumentar a objetividade. Assim, vocês sem dúvida terão mais paz, e o que tanto os incomoda deixará de incomodar.

Sempre que vocês se sentem aborrecidos por causa dos defeitos de alguém, existe algo em vocês que também não está correto. Vocês sabem disso, amigos, mas esquecem sempre que surgem oportunidades de auto-avaliação. *Não se preocupem com o fato de que o outro possa estar tão evidentemente errado, muito mais do que vocês.* Tentem encontrar o pequeno grão de imperfeição em vocês, em vez de se concentrarem na montanha de defeitos do outro. Pois é o grão doentio de inverdade que rouba a paz, e não a montanha de erros do outro!

Duas medidas defensivas: rigor e idealização

Há outra forma de extrema subjetividade que nasce da mesma raiz, embora se manifeste de maneira muito diferente. Muitos seres humanos são muito rigorosos com aqueles que os fazem se sentir não amados e criticados ou, pelo menos, inseguros. Esse rigor é uma forma de defesa. Se vocês estiverem certos do seu valor, não se sentirão inseguros e, portanto, desenvolverão uma tolerância natural. Mas a maioria ainda se sente tão insegura que recorre a medidas defensivas falhas. Esse comportamento se enquadra na mesma categoria da idealização cega da pessoa cujo amor lhes dá segurança. Em casos assim, vocês não vêem aquelas mesmas inclinações às quais fazem objeções tão enfáticas em outros indivíduos. Isso também é perigoso, meus queridos, principalmente porque essa tendência se presta extremamente bem a fazer com que vocês se iludam e acreditem que a idealização é amor e tolerância. Vocês tentam se convencer de que são tolerantes e bons quando fecham os olhos aos defeitos do ser amado, porque este os ama. Não, meus amigos, isso não é amar de verdade. O verdadeiro amor vê a realidade. Se vocês estiverem prontos para amar da forma mais madura e vigorosa, não tentarão fechar os olhos aos defeitos do ser amado; farão exatamente o contrário.

Quem sistematicamente faz vista grossa tem dois motivos. Um é o orgulho: a pessoa escolhida para amar, e que escolheu vocês como objeto de amor, não pode ter defeitos que vocês não considerem aceitáveis. Sim, vocês podem admitir alguns defeitos no outro, como admitem em si mesmos, sabendo que não existe ser humano sem fraquezas. Mas vocês continuam ignorando muitas tendências, acreditando, de forma semiconsciente, que essa atitude é uma prova de amor e de tolerância; na realidade, ela é motivada pelo orgulho. A segunda razão é que, *bem no fundo do coração, vocês se sentem tão inseguros sobre a própria capacidade de amar que precisam de uma versão idealizada do ser amado.* O amor não é verdadeiro se vocês se sentirem levados a ver o outro em forma idealizada. Não, é uma fraqueza e, muitas vezes, uma prisão.

O verdadeiro amor, queridos amigos, é liberdade. Ele passa pelo teste da verdade ao resistir a esse ponto do desenvolvimento. Quando vocês atingirem esse estágio, serão capazes de ver a pessoa amada como realmente é, e não como gostariam que fosse. Enquanto vocês fecharem os olhos ao verdadeiro aspecto do outro, não serão capazes de amar. De fato, vocês estão tão cientes dessa incapacidade, embora num nível subconsciente, mais ou menos superficial, que estão sempre fechando os olhos, receando não poder continuar amando diante da visão da verdade. O orgulho, ou a atual incapacidade de amar de fato, fazem com que vocês passem de um extremo ao outro. Ou se recusam a ver a pessoa próxima e querida como realmente é, ou julgam-na com muita severidade, mesmo que a crítica possa ser justificada. O fato isolado de vocês levantarem objeções pode ser válido, mas não a avaliação da pessoa como um todo, cujas muitas facetas não há forma de conhecer.

Como evitar a crise do despertar

Quando vocês insistem na cegueira aos defeitos do ser amado, muitas vezes é inevitável que ocorra uma crise, um abalo e um doloroso despertar que magoa profundamente. Na verdade, o que decepciona e magoa não é o outro, mas a cegueira que se torna *deliberada*. Nessa crise, o que vocês mais ressentem, no fundo, é a cegueira. Evitem essa crise, meus queridos. Se aprenderem a ver e a amar os outros como realmente são, isso é possível.

Eu gostaria de dar-lhes o seguinte conselho, meus amigos: pensem na pessoa que vocês mais amam no mundo, e em seguida façam uma lista de suas boas qualidades e de seus defeitos, exatamente como estão fazendo consigo mesmos. Perguntem, então, a alguns amigos comuns: "Diga-me, o que você acha? Estou certo? Eu gostaria de saber a sua opinião sobre as qualidades e os defeitos dessa pessoa, saber se você tem a mesma visão, para que eu possa verificar se estou ou não sendo objetivo. Faço isso com a finalidade de me desenvolver." Depois, compare a forma como vocês e outros, que talvez sejam distanciados e objetivos, encaram a mesma pessoa.

Prestem atenção na maneira como vocês reagem ao ouvirem falar de defeitos que vocês não puderam ou não quiseram ver nas pessoas idealizadas. Se vocês ficarem zangados e magoados, isto deve ser sinal de que não foram objetivos, de que têm medo da verdade, muito provavelmente devido aos dois motivos já citados: orgulho e incapacidade de amar as pessoas como realmente são. Caso contrário, vocês manteriam a calma, mesmo que o ser amado fosse acusado de um defeito que não possui. Considerar os defeitos do ser amado pode ser muito saudável para alguns dos meus amigos. Vocês aprenderão a avaliar as pessoas que amam, e o amor amadurecerá e crescerá em estatura. *Assim, vocês sairão do estágio de imaturidade, no qual amam como uma criança assustada que não consegue enxergar a verdade.*

Descobrir em si mesmo a mentalidade da criança

Já falei sobre a mentalidade infantil que continua a existir nos equívocos inconscientes. A criança só conhece dois extremos: o que é bom ou o que é mau, a perfeição ou a imperfeição, a onipotência, que promete segurança, ou a fraqueza total, que é preciso evitar. A criança só consegue aceitar a primeira dessas alternativas. Quando ela descobre que os pais adorados têm defeitos e não são onipotentes, ela se afasta deles ou começa a sentir ódio e a ficar tristes, fica decepcionada e desapontada, ou reprime a percepção no inconsciente, com a culpa de ter descoberto algo desprezível nos pais. Essas reações continuam vivas na alma do adulto e matizam suas reações e seus padrões de comportamento ao longo da vida, ou enquanto estas não forem revistas e reavaliadas à luz do julgamento maduro e da realidade. Quando vocês examinam seus relacionamentos atuais desse ponto de vista, o processo a princípio é doloroso, mas não tão mau quanto a resistência inconsciente gostaria que vocês acreditassem. Não dêem ouvidos a esse movimento de resistência. Prossigam na busca da verdade. Posso garantir que vocês se tornarão pessoas muito mais felizes, livres e seguras.

Um ponto de vista abrangente

Peço que vocês não digam, sem pensar, que vêem, sim, os defeitos do ser amado, em especial os do parceiro. É possível que vejam alguns dos defeitos, talvez apenas os que vocês conseguem tolerar; talvez vocês não queiram ver os outros. Assim, vocês não têm idéia da personalidade total do outro. O que vêem é um retrato tão distorcido como quando eram radicais e demasiado intolerantes. Nos dois casos, o retrato está fora de foco; ambos são espelhos que não refletem a realidade. Cada um dos espelhos distorce de forma diferente. Vocês estão apavorados com a verdade porque a emoção da criança — para a qual ver uma verdade desagradável na pessoa amada é intolerável — ainda está viva no seu íntimo, e esse reconhecimento obriga vocês a deixarem de amar. Mas esta não é absolutamente a verdade. *Se vocês empreenderem essa busca sabendo que o amor, em vez de enfraquecer, vai se desenvolver e amadurecer, poderão superar a resistência à descoberta da realidade.*

Vocês precisam saber qual dos dois extremos de subjetividade é mais importante atacar primeiro. Ambas as alternativas continuam se aplicando a todos vocês, mas uma delas sempre fica em primeiro plano. Comecem concentrando-se nela.

A objetividade também requer coragem, meus amigos. Muitos de vocês ainda são fracos demais para enxergar a verdade nos outros e em si mesmos. *Amor maduro significa amar os outros apesar de seus defeitos*, conhecendo-os, vendo-os, não fechando os olhos, e baseando-se no bem que já está lá. O amor imaturo significa encarar o outro em termos de ou isto/ou aquilo, embora possivelmente essa atitude já esteja um tanto atenuada devido ao amadurecimento intelectual. Vocês podem admitir determinados defeitos que não violam seus padrões e conceitos pessoais. *Julgar severamente as pessoas, como se todos os seres humanos estivessem no mesmo nível de desenvolvimento, é igualmente imaturo.* A outra pessoa pode nem mesmo ser menos desenvolvida do que vocês; pode apenas ter-se desenvolvido em outro aspecto. Portanto, vocês não podem comparar nem julgar. *Basta ver.* Se não conseguirem ver sem raiva, precisam perceber que essa reação tem a mesma origem do outro extremo, ou seja, vocês não conseguem aceitar a imperfeição e, portanto, continuam emocionalmente infantis. Procurem perceber a incapacidade de amar que ainda existe. Rezem para renunciar às ilusões, à vaidade, ao orgulho. Sobre esta verdade poderá assentar-se o verdadeiro amor.

Meus queridos amigos, anjos de Deus estão aqui esta noite para abençoá-los. Esta bênção também se estende a todos os que estão ausentes, a todos os que seguem estes ensinamentos. Continuem neste caminho, meus queridos, pois vão conquistar a força do amor e da compreensão que só poderão obter quando atingirem as profundezas do ser para contemplar a si mesmos com honestidade. Fiquem em paz, fiquem com Deus.

CAPÍTULO 9

A compulsão para recriar e superar as mágoas da infância

Saudações, caríssimos amigos! Deus abençoe a todos. Que as bênçãos divinas se derramem sobre todos vocês para ajudá-los a assimilar as palavras que direi esta noite e a tornar proveitosa esta ocasião.

A falta do amor maduro

Como as crianças muito raramente recebem suficiente amor maduro e bondade, elas continuam a ansiar por ele durante toda a vida, a menos que a falta e a mágoa sejam reconhecidas e devidamente manejadas. Caso contrário, *os adultos seguirão pela vida chorando inconscientemente pelo que não tiveram na infância*. Isto fará deles pessoas incapazes de amar com maturidade. Vocês podem ver como esta situação passa de geração a geração.

O remédio não é querer que as coisas sejam diferentes e que as pessoas aprendam a amar com maturidade. O remédio está unicamente em vocês. É certo que se vocês tivessem recebido tal amor de seus pais, não teriam esse problema, do qual não estão real e plenamente conscientes. Mas o fato de não terem recebido amor maduro não precisa perturbá-los nem perturbar sua vida, pois basta que vocês se conscientizem dele, que o vejam e reequilibrem os antigos desejos, as mágoas, os pensamentos e o conceito inconsciente, tornando-os apropriados à realidade de cada situação. Em

107

conseqüência disso, vocês ficarão mais felizes e também serão capazes de amar com maturidade — os filhos, se tiverem, ou outras pessoas do seu ambiente — para que possa ter início uma reação em cadeia benéfica. Essa correção realista é muito diferente do comportamento interior atual, que vamos analisar agora.

Todas as pessoas, incluindo até aquelas poucas que começaram a explorar a mente inconsciente e as emoções, normalmente dão pouca importância ao forte elo entre o anseio e a insatisfação da criança e as dificuldades e problemas do adulto, pois muito poucas pessoas sentem na prática — e não apenas percebem em teoria — como é forte esse elo. É preciso ter plena consciência dele.

Pode haver casos isolados e excepcionais em que um dos genitores proporciona ao filho uma dose suficiente de amor maduro. Mesmo que um dos genitores proceda assim, até certo ponto, é muito provável que o outro não faça o mesmo. Como o amor maduro sobre a terra só está presente em certa medida, a criança sofre por causa das deficiências presentes mesmo no genitor amoroso.

Com mais freqüência, contudo, os pais são emocionalmente imaturos e incapazes de dar à criança o amor pelo qual esta anseia, ou fazem isso apenas num grau insuficiente. Durante a infância, raramente essa necessidade é consciente. As crianças não têm condições de expressar suas necessidades na forma de sentimentos. Elas não sabem comparar o que têm com o que os outros têm. Não sabem que poderia haver algo diferente. Acreditam que é assim que deve ser. Ou, em casos extremos, sentem-se particularmente isoladas e acreditam que seu destino é único. As duas atitudes estão longe da verdade. Nos dois casos, a verdadeira emoção não é consciente e não pode, portanto, ser devidamente avaliada e aceita. Assim, as crianças crescem sem jamais entenderem muito bem por que são infelizes, ou até mesmo que são infelizes. Muitos de vocês relembram a infância convencidos de que tiveram todo o amor que queriam, porque na verdade existiu algum amor.

Muitos pais dão grandes demonstrações de amor. Talvez mimem os filhos. Mimos e paparicos podem ser uma compensação exagerada, uma espécie de desculpa pela incapacidade, da qual no fundo se suspeita, de amar com maturidade. As crianças são muito perspicazes para perceber a verdade. Elas podem não pensar nisso conscientemente, mas, por dentro, sentem profundamente a diferença entre o amor maduro e genuíno e a versão imatura e exagerada que é oferecida em seu lugar.

Cabe aos pais a responsabilidade de proporcionar aos filhos a devida orientação e segurança, o que exige que tenham autoridade. Existem pais que jamais ousam punir ou exercer uma autoridade saudável. Esta falha se deve à culpa, pois o amor verdadeiro, de doação, caloroso e reconfortante está ausente em sua personalidade imatura. Outros pais podem ser severos demais. Dessa forma, exercem sua autoridade pela dominação, amedrontando a criança e não permitindo o desenvolvimento de sua individualidade. Os dois tipos são deficientes, e suas atitudes erradas, absorvidas pela criança, são causa de mágoa e insatisfação.

Nos filhos de pais severos, o ressentimento e a rebeldia são explícitos, e, portanto, mais fáceis de serem identificados. No outro caso, a rebeldia é igualmente forte, porém oculta, e, assim, infinitamente mais difícil de ser identificada. Se vocês tiveram um pai ou mãe que os sufocou de afeto ou de pseudo-afeto, mas sem calor humano verdadeiro, ou um pai que conscientemente fez tudo certo, mas também sem calor humano verdadeiro, vocês, como crianças, inconscientemente sabiam disso, e se ressentiram. Conscientemente podem não ter percebido nada porque, na infância, não se pode identificar o que falta. Exteriormente, vocês receberam tudo o que queriam e precisavam. Como seria possível ao intelecto infantil traçar a linha divisória, sutil e tênue, entre o afeto real e o pseudo-afeto? O fato de se sentirem incomodados por alguma coisa, sem poder explicá-la racionalmente, fez com que vocês se sentissem culpados e inquietos. Assim, vocês procuram ver o menos possível.

Enquanto a mágoa, a decepção e as necessidades insatisfeitas dos primeiros anos permanecem inconscientes, não é possível aceitá-las. Por mais que elas amem seus pais, permanece um ressentimento inconsciente que não permite perdoá-los pela mágoa causada. Só se pode perdoar e esquecer quando a mágoa e o ressentimento, profundamente ocultos, são reconhecidos. O ser humano adulto entende que os pais também são apenas seres humanos. Não são irrepreensíveis e perfeitos, como a criança acreditava e esperava que fossem, mas não devem ser rejeitados agora porque tinham conflitos e eram imaturos. A luz do raciocínio consciente deve ser aplicada a essas emoções que vocês nunca permitiram que se tornassem totalmente conscientes.

Tentativas de curar, na idade adulta, a mágoa da infância

Enquanto vocês permanecerem inconscientes do conflito entre o anseio pelo amor perfeito dos pais e o ressentimento contra eles, estão fadados a tentar remediar a situação posteriormente. Esse esforço pode manifestar-se em vários aspectos da vida. Vocês deparam constantemente com problemas e padrões repetidos cuja origem está na tentativa de *reproduzir uma situação da infância para corrigi-la*. Essa compulsão inconsciente é um fator muito forte, mas como está longe da compreensão consciente!

A forma mais freqüente de tentar remediar a situação é a *escolha de parceiros no amor. Inconscientemente, vocês sabem escolher um parceiro com aspectos do genitor particularmente falho em termos de afeto e amor real e autêntico.* Mas vocês também procuram, no parceiro, algum aspecto do outro genitor que chegou mais perto de atender às suas necessidades. Por mais importante que seja ter os pais representados no parceiro, é ainda mais importante e mais difícil encontrar os aspectos correspondentes ao genitor que mais causou decepção e mágoa, aquele que suscitou mais ressentimento ou desprezo, e pelo qual vocês sentiam pouco ou nenhum amor. Assim, vocês buscam os pais novamente — de uma forma sutil, nem sempre fácil de detectar — nos parceiros conjugais, nos amigos ou em outros relacionamentos. Subconscientemente, ocorrem as seguintes reações: a criança que há em vocês não consegue esquecer o passado, não consegue assimilá-lo, não consegue perdoar, não consegue entender e aceitar e, portanto, sempre cria condições semelhantes, tentando levar a melhor, para finalmente dominar a situação, em vez de sucumbir a ela. Perder significa ser esmagado — o que precisa ser evitado a todo custo. O que essa criança pretende não tem nenhuma condição de se concretizar.

110

O efeito prejudicial dessa estratégia sobre os relacionamentos

Todo esse processo é extremamente pernicioso. Em primeiro lugar, a derrota na infância é uma ilusão. Portanto, a vitória atual também seria uma ilusão. Além do mais, é uma ilusão que a falta de amor, por triste que possa ter sido na infância, seja a verdadeira tragédia que vocês, subconscientemente, ainda sentem como tal. A única tragédia está no fato de que vocês prejudicam a felicidade futura ao continuar reproduzindo uma situação para tentar dominá-la. Meus amigos, esse processo é profundamente inconsciente. Naturalmente, nada está mais distante da sua mente, que se volta para metas e desejos conscientes. É preciso escavar muito para revelar as emoções que levam, repetidamente, a situações em que o objetivo secreto é curar desgostos infantis.

Ao tentar reproduzir a situação da infância, inconscientemente vocês escolhem um parceiro com facetas semelhantes às do pai ou da mãe. No entanto, são esses mesmos aspectos que tornam tão impossível, agora como antes, receber o amor maduro legitimamente desejado. Cegamente, vocês acreditam que, como o desejo agora é mais forte e mais vigoroso, o genitor-parceiro cederá, quando na realidade o amor não pode vir desse jeito. *Só quando vocês se livram dessa eterna repetição é que já não choram para serem amados pelo genitor. Em vez disso, procuram um parceiro ou outros relacionamentos com o objetivo de encontrar a maturidade que realmente necessitam e desejam.* Ao não pedirem para serem amados como uma criança, vocês estarão igualmente dispostos a amar. No entanto, a criança interior acha que isso é impossível, por mais que o desenvolvimento e o progresso tenham feito de vocês pessoas capazes de amar. Esse conflito oculto eclipsa o crescimento da alma sob outros aspectos.

Para quem já tem um parceiro, a revelação desse conflito pode mostrar como determinadas facetas imaturas do companheiro lembram os pais. Mas como agora vocês sabem que são muito poucas as pessoas realmente maduras, a imaturidade do parceiro já não será a tragédia que era quando vocês procuravam sistematicamente reencontrar o pai, a mãe ou ambos, o que naturalmente jamais viria a acontecer. Mesmo com a atual imaturidade e incapacidade, vocês podem formar um relacionamento mais maduro, sem a compulsão infantil de recriar e corrigir o passado.

Vocês não fazem idéia de quanto o inconsciente se ocupa no processo de, por assim dizer, reencenar a peça na esperança de que "desta vez será diferente". E nunca é! Com o passar do tempo, cada decepção é mais pesada e a alma fica mais e mais desanimada.

Para aqueles meus amigos que ainda não atingiram determinadas camadas profundas do inconsciente inexplorado, isto pode parecer bastante despropositado e inventado. No entanto, aqueles que já chegaram a constatar a força das tendências, das compulsões e das imagens ocultas não precisam fazer nenhum esforço para acreditar nisso e reconhecem prontamente a verdade dessas palavras em sua vida. Vocês já sabem, com base em outras descobertas, como são poderosos os mecanismos da mente inconsciente, e com que argúcia ela segue seus caminhos destrutivos e ilógicos.

A reprise da dor da infância

Se vocês aprenderem a encarar os problemas e a insatisfação desse ponto de vista, e seguirem o processo normal de deixar as emoções virem à tona, passarão a entender muito mais. No entanto, meus amigos, será necessário sentir outra vez o anseio e a dor da criança chorona do passado, mesmo que essa criança também fosse feliz. A felicidade pode ter sido válida e absolutamente real. Pois é possível ser feliz e infeliz ao mesmo tempo. Vocês podem, agora, ter perfeita lembrança dos aspectos felizes da infância, mas aquilo que feriu fundo, aquilo que vocês queriam tanto — sem saber bem o que era — não era percebido. Vocês não questionavam a situação. Vocês não sabiam o que faltava, nem que faltava alguma coisa. Essa infelicidade fundamental precisa vir à consciência agora, caso vocês queiram de fato continuar se desenvolvendo interiormente. Será preciso sentir outra vez a dor aguda do passado, que se perdeu de vista. Agora é preciso considerar a dor com a consciência da compreensão adquirida. Só dessa forma vocês conseguirão captar o valor de realidade dos problemas atuais e vê-los tais quais são.

Pois bem, *como fazer para sentir de novo uma dor tão antiga?* Existe apenas um meio, meus amigos. Tomem um problema atual. Despojem-no de todas as camadas sobrepostas de reações. A primeira camada, a mais fácil, é a da racionalização, a de "provar" que os outros, ou as situações, são os culpados, que não são os conflitos mais íntimos que levaram vocês a tomar a atitude errada diante do problema do momento. A camada seguinte pode ser raiva, ressentimento, ansiedade, frustração. Por trás de todas essas reações vocês encontrarão a dor de não ser amado. Quando sentirem a dor de não serem amados no problema atual, ela servirá para redespertar a dor da infância. Pensando na dor presente, voltem ao passado e tentem reconsiderar a situação com seus pais: o que eles lhes deram, o que vocês sentiam de fato por eles. Vocês perceberão que, sob muitos aspectos, sentiam falta de alguma coisa que nunca viram antes com clareza — porque não queriam ver. Vocês descobrirão que essa carência deve ter sido dolorosa na infância, mas a mágoa pode ter sido esquecida no nível consciente. No entanto, ela absolutamente não está esquecida. A dor causada pelo problema atual é exatamente a mesma dor do passado. Agora, reavaliem a dor atual, comparando-a com a da infância. Finalmente, será possível perceber que ambas são uma só. Por mais verdadeira e compreensível que seja a dor atual, é a mesma dor da infância. Um pouco mais tarde, vocês verão como contribuíram para provocar a dor atual, devido ao desejo de corrigir a mágoa da infância. Mas, primeiramente, só é preciso sentir a semelhança da dor. Isto exige um esforço considerável, porque há muitas emoções sobrepostas cobrindo a dor atual e a dor do passado. Enquanto vocês não conseguirem cristalizar a dor do presente, não poderão entender mais nada a esse respeito.

Depois de sincronizar as duas dores e perceber que elas são uma só, o passo seguinte é muito mais fácil. Tomando ciência do padrão repetitivo das diversas dificuldades enfrentadas, vocês aprenderão a reconhecer as semelhanças entre seus pais e as pessoas que provocaram ou provocam sofrimento em vocês. Ao sentir emocionalmente as semelhanças, vocês avançarão no sentido de solucionar o conflito básico. A mera avaliação intelectual não traz nenhum benefício. Para ser proveitoso e gerar resultados reais, o processo de renunciar à recriação precisa ir além do simples conhecimento intelectual. É preciso permitir-se sentir agora a dor de determinadas insatisfações, além da dor da insatisfação da infância, e depois comparar as duas até que, como dois *slides*, elas gradualmente entrem em foco e se transformem em uma só. *Sentindo agora a dor daquela época,* vocês lentamente virão a perceber que parecia necessário escolher a situação presente porque, lá no fundo, vocês não conseguiam admitir a "derrota". Quando isso acontece, o esclarecimento obtido e a experiência, sentida exatamente como descrevi, constituem as condições para dar o próximo passo.

Não é preciso dizer que muitas pessoas nem sequer têm ciência de qualquer dor, passada ou presente. Diligentemente, elas tiram o fato da cabeça. Os problemas não assumem a aparência de "dor". Para elas, o primeiro passo é a consciência de que a dor existe e que dói infinitamente mais enquanto é negada. Muitas pessoas têm medo dessa dor e querem acreditar que, ignorando-a, poderão fazê-la desaparecer. Elas escolhem esse meio de alívio unicamente porque seus conflitos aumentaram demais. É muito melhor escolher esse caminho com o conhecimento e a convicção de que um conflito oculto, a longo prazo, faz tanto mal quanto um conflito manifesto. Elas não terão mais medo de desvendar a emoção verdadeira e sentirão, mesmo durante a experiência temporária de dor aguda, que naquele momento ela se transforma em uma dor de crescimento, saudável, sem amargura, tensão, ansiedade e frustração.

Também existem os que suportam a dor, mas de forma negativa, sempre esperando que o remédio venha de fora. Essas pessoas, de certa forma, estão mais perto da solução, porque para elas será muito fácil perceber que o processo infantil ainda está atuante. O lado de fora é o genitor ou os genitores que provocaram a mágoa, projetados em outros seres humanos. Basta, nesse caso, reformular o modo de encarar a dor. Não é preciso descobrir a dor.

Como parar de recriar?

Só depois de passar por todas essas emoções e de sincronizar o "agora" e o "antes" vocês adquirirão consciência da forma como tentaram resolver o problema. Vocês verão, ainda, como é tolo o desejo inconsciente de recriar a mágoa infantil, o quanto essa atitude é inutilmente frustrante. Vocês avaliarão todas as ações e reações com novo conhecimento e nova luz, e assim poderão desprender-se de seus pais. Vocês realmente deixarão a infância para trás, dando início a um novo padrão de conduta interior infinitamente mais construtivo e gratificante, para si mesmos e para os outros. Já não será preciso tentar controlar a situação que não foi possível controlar na infância. Vocês seguirão em frente, esquecendo e perdoando de fato, mesmo sem pensar nisso. Já não precisarão ser amados como precisavam na infância. Primeiro vocês adquirem consciência de que é isso o que ainda desejam, e depois já não buscam esse tipo de amor. Como vocês não são mais crianças, buscarão o amor de forma diferente dando em vez de esperar receber. Sempre é necessário ressaltar, contudo, que muitas pessoas não percebem sua própria expectativa de receber amor. Como a expectativa inconsciente, infantil, muitas vezes é frustrada, elas abrem mão de qualquer expectativa e desejo de amor. É desnecessário dizer que isso não é nem autêntico nem saudável, tratando-se de uma atitude extremada e errada.

Trabalhar esse conflito interior é muito importante para todos, para poderem adotar uma nova perspectiva e ter mais clareza na auto-avaliação. No começo, talvez essas palavras só proporcionem um vislumbre transitório, uma emoção passageira e vacilante, mas elas devem ser de ajuda e abrir uma porta para intensificar o conhecimento de si mesmo, para avaliar a vida com mais realismo e maturidade.

Alguma pergunta em relação ao tema desta palestra?

PERGUNTA: Tenho muita dificuldade para entender por que uma pessoa escolheria sistematicamente um objeto de amor exatamente com as mesmas tendências negativas de um de seus pais. A pessoa escolhida tem mesmo essas características? Ou é uma questão de projeção e de reação?

RESPOSTA: Podem ser as duas coisas, pode ser uma das duas. De fato, na maioria das vezes trata-se de uma combinação. Determinados aspectos são inconscientemente buscados e encontrados, e, na verdade, são semelhantes. Mas as semelhanças que existem são intensificadas pela pessoa que faz a recriação. Elas não são apenas qualidades projetadas que de fato não existem, mas estão até certo ponto latentes, sem se manifestarem. Elas são incentivadas e trazidas com força para o primeiro plano pela atitude da pessoa que não reconhece o seu problema interior. Esta incentiva alguma coisa no outro, provocando uma reação semelhante à dos pais. A provocação, que naturalmente é totalmente inconsciente, é um fator muito forte nesse caso.

A soma total da personalidade humana consiste em muitos aspectos. Deles, vamos dizer que três ou quatro possam ser realmente semelhantes aos traços do genitor da pessoa que recria. O mais destacado seria uma espécie semelhante de imaturidade e de incapacidade de amar. Isto, por si só, é suficiente para reproduzir a situação.

A mesma pessoa não reagiria a outras como reage a você, porque você está constantemente provocando e, dessa forma, reproduzindo condições semelhantes às da infância para poder corrigi-las. O medo, a autopunição, a frustração, a raiva, a hostilidade, a recusa em dar amor e afeto, todas essas tendências da criança interior constantemente provocam o outro e reforçam a resposta dada pela parte fraca e imatura. No entanto, uma pessoa mais madura afeta os outros de forma diferente e traz à tona a parte madura e íntegra, pois não existe alguém que não tenha alguns aspectos maduros.

PERGUNTA: Como posso saber se estou provocando o outro ou se o outro é que está me provocando?

RESPOSTA: Não é preciso saber quem começou, pois trata-se de uma reação em cadeia, de um círculo vicioso. É bom começar descobrindo o que você provoca, talvez em resposta a uma provocação explícita ou implícita do outro. Assim, você percebe que, como foi provocado, também provoca. E o outro responde na mesma moeda. Entretanto, examinando e entendendo o motivo verdadeiro, não o motivo superficial, o que o deixou magoado em primeiro lugar e levou à provocação, você deixa de considerar a mágoa como um desastre. Você reage de forma diferente à mágoa e, em conseqüência, ela automaticamente diminui. Portanto, já não há necessidade de provocar o outro. Além disso, à medida que diminui a necessidade de reproduzir situações da infância, você fica menos retraído e fere os outros cada vez menos; assim, estes não sentem necessidade de provocá-lo. Se o fizerem, agora você poderá entender que reagiram com base em necessidades infantis cegas, como você também fazia. Agora, você pode ver como

116

julga que a provocação do outro tem motivação diferente da sua, mesmo que admita que foi você, de fato, quem começou a provocar. Ao adquirir uma visão diferente da sua própria mágoa, conhecendo sua verdadeira origem, você terá o mesmo distanciamento ao considerar a reação do outro. Descobrirá em você e no outro exatamente as mesmas reações. Enquanto o conflito da criança continuar não-resolvido, a diferença parecerá enorme; mas, quando se perceber a realidade, o círculo vicioso começará a ser rompido.

A percepção real dessa ação recíproca atenua a sensação de isolamento e culpa que oprime todos vocês. Vocês oscilam constantemente entre a culpa e a acusação de que os outros são injustos. A criança interior sente-se totalmente diferente dos outros, num mundo seu. Vive nessa ilusão prejudicial. Ao solucionar esse conflito, aumentará a percepção que ela tem dos outros. Por enquanto, vocês não têm consciência da realidade dos outros. Por um lado, fazem acusações e ficam desproporcionalmente magoados com eles, pois vocês não se conhecem e, conseqüentemente, não conhecem o outro. Por outro lado, e ao mesmo tempo, vocês se recusam a tomar consciência das ocasiões em que se sentem feridos. Parece um paradoxo, mas não é. Ao vivenciarem as interações expostas esta noite, vocês verão que isso é verdade. Embora às vezes possam exagerar a ofensa recebida, em outras ocasiões vocês não se dão conta de que a ofensa existiu, pois ela pode não se encaixar no quadro que fizeram da situação. Ela pode estragar a idéia que criaram ou não corresponder ao que vocês querem no momento. Se a situação parecer favorável à idéia preconcebida, vocês se deixam atingir e permitem que a ofensa fermente e gere hostilidade inconsciente. Toda essa reação inibe as faculdades intuitivas, pelo menos sob esse aspecto específico.

A constante provocação que ocorre entre seres humanos, mesmo estando agora fora do campo de percepção, é uma realidade que vocês chegarão a perceber com muita clareza. Essa percepção terá um efeito muito libertador sobre vocês e o seu meio. Sigam o seu caminho, meus queridos, e que as bênçãos que trago para todos possam envolvê-los e penetrar no corpo, na alma e no espírito, para que vocês abram a alma e se transformem no que realmente são. Eu os abençôo, meus amigos. Fiquem em paz, fiquem com Deus.

CAPÍTULO 10

A ligação da força vital às situações negativas

Saudações, meus caríssimos amigos! Bênçãos para todos vocês. Que a força contida nessas bênçãos possa ajudar a assimilar esta palestra, com o entendimento exterior e também interior.

Por que a destrutividade, a doença, a guerra e a crueldade continuam a existir? Deixem-me explicar o que está faltando nas respostas que têm sido dadas a essa pergunta.

Digo muitas vezes que as concepções equivocadas — conclusões erradas, inconscientes, sobre a vida — geram discórdia, e isto é perfeitamente verdadeiro. Mas existe um elemento adicional, sem o qual nenhuma concepção equivocada pode ter força. Ei-lo: a negatividade bruta, como na atitude abertamente destrutiva, tem muito menos efeito do que a destrutividade associada e combinada ao princípio vital positivo. É isto o que torna as manifestações no plano terreno particularmente graves ou duras. Em outras palavras, quando a energia vital positiva se mistura ao negativismo ou à atitude destrutiva, *essa combinação cria o mal*. A verdadeira destrutividade, portanto, não se origina apenas da deturpação da verdade, e sim da deturpação permeada pelo princípio vital universal e pelo seu poder construtivo. Se o princípio vital construtivo também não estivesse envolvido, o mal, ou a destrutividade, seriam de muito curta duração.

A força vital dinâmica é particularmente acessível à consciência humana no relacionamento de amor entre os sexos. Quando a luta ou o anseio por essa experiência está associado a uma condição negativa, a conseqüência é a dificuldade e a frustração. Olhem para si mesmos do seguinte ponto de vista: todos vocês sofreram na infância determinadas mágoas e desgostos. Alguns podem ter começado a perceber, ainda que superficialmente, que no momento em que vocês se sentem feridos ocorre um processo específico. *O princípio erótico, ou princípio do prazer, é colocado a serviço da mágoa, do sofrimento, da dor.* Todas as emoções decorrentes dessa mágoa original, de acordo com o caráter e o temperamento, também se combinam com o princípio do prazer. Esta ligação cria todas as dificuldades pessoais, todas as circunstâncias indesejadas.

A combinação de crueldade e prazer

As muitas almas que habitam a terra, somadas, criam a discórdia geral da humanidade. Quando vocês percebem, depois de terem se conscientizado desse processo, quantas pessoas são capazes de sentir prazer em fantasias de crueldade, entenderão que aqui está o verdadeiro cerne da guerra — da própria crueldade. Mas não se sintam culpados. Ao contrário, procurem sentir-se iluminados e livres para deixar que os processos anteriores se transformem, agora que vocês sabem que criaram esse estado. A crueldade sem o princípio do prazer nunca poderia ter força real. A falta de consciência da combinação de crueldade e prazer de forma alguma diminui seu efeito sobre o clima geral da emanação da humanidade.

Se vocês já sentiram o que é ser cruel, quer o ato de crueldade tenha sido real ou fruto da imaginação, o princípio do prazer está vinculado a ela e funciona, até certo ponto, em conjunto com ela. Muitas vezes, a culpa e a vergonha são tão fortes, que se nega toda a vida da fantasia, mas, às vezes, é um processo inconsciente. Essa percepção precisa ser estabelecida e entendida de um ponto de vista global, pois, se for corretamente entendida, tanto a culpa como a vergonha serão eliminadas. À proporção que aumenta a compreensão, o princípio do prazer começa gradualmente a reagir a eventos positivos.

A combinação entre o princípio do prazer e a crueldade podem operar ativa ou passivamente. Portanto, sente-se prazer ao ser cruel ou ao sofrer crueldade — ou ambos. A associação do princípio do prazer a um estado em que ele funciona mais fortemente em conjunto com a crueldade faz com que o amor seja refreado, contido, e torna impossível a experiência real do amor. O amor só existe como um vago anseio que não pode ser mantido nem levado até o fim. Nessas circunstâncias, o amor não é a experiência tentadora e agradável que pode ser para outra parte da personalidade. O anseio pelo prazer do amor e a ignorância do fato de que a pessoa rejeita a experiência real porque tem medo da ligação do princípio do prazer com a negatividade cria, muitas vezes, uma profunda sensação de impotência. A sensação de impotência só pode ser compreendida e imediatamente atenuada quando esse fato é entendido num nível profundo.

Nos casos menos flagrantes, quando a criança não é submetida a muita crueldade inequívoca mas a situações vagas de rejeição e de não-aceitação, o princípio do prazer se associa a uma situação semelhante, de modo que, apesar do desejo inconsciente de aceitação, a corrente de prazer só é ativada com a rejeição. Esse fenômeno tem muitos graus e variações; por exemplo, a situação em que a criança é parcialmente aceita e parcialmente rejeitada. Nesse caso, o princípio do prazer se associa a uma ambivalência exatamente semelhante. Isto, por sua vez, gera conflito nos relacionamentos.

O primeiro caso evidente de *ligação entre a crueldade e o princípio do prazer* ou princípio vital — ambos são a mesma coisa — *torna o relacionamento tão perigoso que a saída é, muitas vezes, evitá-lo completamente*. Ou a descoberta dessa combinação é tão desconcertante e assustadora que a pessoa se sente incapaz de prosseguir com o relacionamento. Ou ela fica inibida por ter vergonha do desejo de infligir ou de sofrer crueldade, o que pode acabar totalmente com a espontaneidade e provocar a hesitação e o entorpecimento dos sentimentos.

Meus queridíssimos amigos, é de suma importância entender esse princípio. Ele se aplica à humanidade como um todo, e também a cada pessoa. De modo geral, esse princípio não foi suficientemente compreendido, porque a psicologia e a ciência espiritual não se fundiram o bastante. A psicologia tem feito vagas tentativas de entender esse fator, até certo ponto com sucesso, mas sua vasta importância em termos da civilização e seu destino, ou sua evolução, não foi captada. O mundo, agora, está pronto para entender essa realidade.

A evolução é conseqüência da mudança interior

Evolução, meus amigos, significa que cada pessoa, através do processo de auto-exame e de autopercepção, muda aos poucos a orientação interior do princípio do prazer. Nas reações espontâneas, cada vez mais pessoas reagirão a fatos, situações e condições positivas.

Todos vocês sabem que a mudança interior não pode ser determinada diretamente pela vontade. A expressão da vontade deve ser feita no trabalho constante em um caminho espiritual como este. Cultivem a vontade e a coragem de olhar o eu para identificar e vencer a resistência ao autoconhecimento. À medida que vocês usarem a vontade e as faculdades do ego dessa maneira construtiva, a mudança real acontecerá, quase como se nada tivesse a ver com esse esforço, como se fosse um desdobramento independente. É assim que devem acontecer o progresso e o crescimento.

Aos poucos, através do processo de crescimento, uma pessoa atrás da outra reorienta os movimentos, as forças da alma. A expressão do movimento cósmico dentro da psique, nesse momento, liga-se a condições puramente positivas. Os sentimentos positivos ou agradáveis já não derivam de circunstâncias negativas.

Atualmente, vocês continuam reprimindo e suprimindo a consciência da combinação de sentimentos agradáveis com algo negativo. Em vez de reprimir, de negar, de afastar da vista, é preciso encarar. Entender sem culpa nem vergonha. No decorrer do processo de crescimento, vocês aprendem que toda imperfeição precisa ser corajosamente aceita e entendida para poder ser mudada.

O "casamento" entre a corrente do prazer e uma condição negativa

Meus amigos, tentem descobrir o "casamento" interior entre a corrente do prazer e uma condição negativa. Quando identificarem esse casamento entre as forças da alma em condições específicas, vocês saberão e entenderão perfeitamente determinadas manifestações externas de seus problemas. Será um alívio. Ao ver e formular claramente o casamento das forças positivas e negativas na psique, vocês terão a imagem exata da sua insatisfação. Até que ponto isso se manifesta — talvez apenas na fantasia — e como isso refreia a auto-expressão, a união, a experiência, a realização sem medo em conjunto com um espírito semelhante? Vocês verão por que se escondem de si mesmos e da vida; por que se retraem dos próprios sentimentos; por que se reprimem e ficam em guarda contra as mais criativas e espontâneas forças de seu íntimo. Vocês verão por que bloqueiam os sentimentos, às vezes com muita dor, e depois tentam racionalizar e inventar explicações.

Querem fazer perguntas sobre este tópico?

PERGUNTA: Eu gostaria de entender um pouco mais concretamente como é o casamento entre as forças do amor e da crueldade. Por exemplo, no caso de uma criança que se sente rejeitada pela mãe, esse casamento explica por que essa pessoa não consegue sentir prazer sem também sentir vingança — algum tipo de desejo sádico em relação à mãe? Isso talvez só acontece em fantasia, nunca de fato, e então a pessoa normalmente não percebe que o parceiro representa a mãe?

RESPOSTA: Sim, pode ser exatamente assim. Também pode ser que a pessoa só sinta prazer quando tem também a sensação de ser novamente rejeitada, ou um pouco rejeitada, ou de ter medo de ser rejeitada.

PERGUNTA: Mas a pessoa não sentiu prazer quando foi rejeitada.

RESPOSTA: É claro que não. Mas a criança usa o princípio do prazer para tornar mais tolerável o fato negativo, o sofrimento. Isso acontece inconscientemente, não intencionalmente, e de forma quase automática. Inadvertidamente, por assim dizer, o princípio do prazer se combina com a condição negativa. Os reflexos automáticos são então direcionados para a situação que combina a corrente inerente de prazer com o fato doloroso. A única forma de identificar esse fenômeno no caso de cada um é investigar a vida de fantasia.

PERGUNTA: Então, a criança quer reproduzir a rejeição?

RESPOSTA: Não conscientemente, é claro. Ninguém quer realmente ser rejeitado. O problema é que as pessoas conscientemente querem ser aceitas e amadas, mas inconscientemente não conseguem reagir a uma situação totalmente acolhedora e favorável. Nesses casos, o princípio do prazer já foi desviado para o canal negativo e só pode ser recanalizado por meio da percepção e da compreensão. Faz parte da própria natureza desse conflito o funcionamento do princípio do prazer exatamente da maneira oposta àquela que as pessoas conscientemente desejariam. Não se pode dizer que alguém deseje inconscientemente ser rejeitado, mas o reflexo já está estabelecido desde a época em que esse modo de funcionamento tornou a vida da criança mais suportável. Está entendendo?

PERGUNTA: Não entendo muito bem como se pode sentir prazer ao ser rejeitado, exceto como vingança. Isso eu consigo entender.

RESPOSTA: Talvez você também possa imaginar — a gente vê isso constantemente — que, quando as pessoas se sentem seguras demais da aceitação e do amor, elas perdem a chama do interesse. Isso também é racionalizado, alegando-se que a chama inevitavelmente se apaga com o hábito, ou inventando-se outros subterfúgios semelhantes. Mas não precisaria ser assim se não fossem os fatores analisados nesta palestra. Com a ligação da força vital a algo negativo, a chama, o interesse, a corrente dinâmica só existem quanto existe insegurança ou infelicidade. Isso se vê com freqüência. Às vezes, a condição negativa só se manifesta em fantasia. Essas fantasias, de uma forma ou de outra, estão associadas a sofrimento, humilhação ou hostilidade. Nesse caso, são chamadas de masoquismo ou sadismo.

PERGUNTA: Quando esta situação chegará ao fim? Ela sempre se repete em todas as encarnações?

RESPOSTA: Você pode ver que há diferenças entre os seres humanos: alguns atuam de forma muito mais saudável, e seu princípio do prazer reage com mais força a uma situação positiva. Está havendo evolução. Quando existe na psique uma situação totalmente positiva, a reencarnação já não é necessária. A evolução, então, prossegue em outros planos. Até certo ponto, todo ser humano tem negativismo, e esse negativismo é de alguma forma ativado, manifestado e alimentado pela força vital. Mas há graus, que são uma clara indicação do processo evolutivo.

É possível juntar fantasia e realidade

Num extremo, existem seres humanos incapazes até mesmo de ter algum relacionamento direto com outra pessoa, que vivem apenas em fantasias totalmente associadas a experiências negativas. No outro extremo, estão os que, no processo de amadurecimento, reuniram fantasia e realidade no sentido mais positivo e favorável. A reunião de fantasia e realidade não significa a repressão da vida de fantasia, mas sua verdadeira superação, porque a realidade é mais desejável e mais agradável, como também o são as circunstâncias positivas. Entre os dois extremos, há muitas gradações. Este é o processo evolutivo.

Nesse sentido, eu gostaria de acrescentar mais um ponto, não apenas para os que aqui estão, mas para as pessoas de um modo geral. Também é útil, meus amigos, distinguir entre as duas principais reações a esse conflito. Ambas são principalmente inconscientes. A primeira é a negação inflexível, de modo que não existe consciência de qualquer negativismo, mesmo em fantasia. A causa é o medo, a culpa e a vergonha. A segunda reação se aplica àqueles que estão perfeitamente cientes de suas fantasias, mas são incapazes de sentir o princípio do prazer de qualquer outra forma, tenham ou não relacionamentos com outros. Isso acontece quando a sexualidade e o amor são separados, ou Eros e amor, ou Eros e sexualidade. Nesses casos, há certa resistência parcialmente consciente a renunciar à vida de fantasia, por medo de perder ao mesmo tempo o prazer. A pessoa não consegue conceber que o princípio do prazer puro e saudável se manifesta com muito mais beleza e de forma muito mais satisfatória quando o positivo se mistura com o positivo. Ela imagina que isso seria sombrio e tedioso, porque, com esse conflito, o relacionamento verdadeiro, da vida real, nunca é tão satisfatório quanto a fantasia. Conseqüentemente, ela supõe que renunciar à fantasia significa renunciar ao prazer e, naturalmente, ela não quer abrir mão do prazer.

Dois tipos de culpa

Outra questão que eu gostaria de abordar esta noite diz respeito aos *sentimentos de culpa*. Como disse anteriormente, todo mundo tem culpa.

Toda imagem está relacionada com a culpa. É importante entender que há *dois tipos de culpa* — a culpa injustificada e a culpa justificada. Muitas vezes, inconscientemente, vocês usam uma culpa injustificada e absurda como escudo, atrás do qual escondem a verdadeira culpa. Por quê? Porque, lá no fundo, sabem que a culpa injustificada é ridícula. É como se quisessem dizer: "Está vendo? Eu me declaro culpado, mas não tenho motivo verdadeiro para fazê-lo." Vocês não conseguem se livrar da noção torturante do que deveria ser efetivamente admitido, encarado e mudado. No entanto, vocês não querem enfrentar a verdade, e, portanto, procuram inconscientemente alguma coisa pela qual não possam ser responsabilizados. Assim, discutem com a voz interior da culpa absurda, tentando convencê-la de que ela não tem motivo para incomodar. É claro que tudo isso se passa no inconsciente. Ironicamente, a verdadeira culpa pode ser infinitamente menor que a culpa absurda que vocês usam como muro de proteção.

O que são as culpas absurdas? São, acima de tudo, as que vocês sentem por não serem perfeitos. É meritório querer tornar-se perfeito. Nunca é demais recomendar que se deve tentar substituir o ódio, o ressentimento e a agressividade por amor e altruísmo. Mas antes de poder fazê-lo, é preciso admitir e aceitar o estado atual de desenvolvimento — a incapacidade de sentir outra coisa — em vez de querer tornar-se imediatamente mais do que se é no presente. Se vocês se sentirem culpados por ainda serem o que são, estarão se afastando justamente da meta que querem atingir. Eu sei, meus amigos, que repito muitas vezes as mesmas coisas, mas isso é necessário. Eu quero enfatizar que culpar-se por não ser perfeito é um sentimento injustificado. Essa culpa injustificada atinge todas as facetas da personalidade humana. Examinem seus sentimentos de culpa desse ponto de vista e identificarão em vocês esse tipo de culpa.

A culpa pelo impulso sexual é justificada?

Outra culpa injustificada — alimentada pela opinião geral — é a reação ao impulso sexual. Cada um de vocês sente culpa a esse respeito, se não exteriormente devido às influências intelectuais, pelo menos, com certeza, nas emoções. *A culpa pelo impulso sexual é injustificada e absurda.* Pode ser verdade que a energia sexual não flui pelos canais certos, porque não se funde com o amor. É precisamente por isso que surge o sentimento de culpa e a maior repressão consciente possível. Portanto, o impulso sexual não tem possibilidade de amadurecer com o restante da personalidade, integrando-se aos sentimentos de cordialidade, amorosidade, doação e altruísmo. Dessa forma, ele permanece infantil em seu autocentrismo e egoísmo.

A falha sexual inconsciente de vocês reside na *direção errada e na rejeição no impulso sexual*, e não na sua existência. Sua existência não é motivo para se sentir culpado. Vocês agem com base num conceito equivocado quando tentam eliminar aquilo que lhes parece pecaminoso, e depois se sentem culpados porque não conseguem pôr em prática a intenção. O remédio não é eliminar o impulso sexual, mas parar de ter medo do amor — renunciar ao medo que é egoísta por natureza. Se vocês se permitirem amar, o impulso sexual se fundirá com o amor e não haverá mais razão para sentir culpa pela sexualidade. Tentem entender isso, meus caros amigos. Tentem entender como é confuso o raciocínio inconsciente. *Vocês se sentem culpados por uma força originária de Deus, em vez de se sentirem culpados pelo medo de amar, que nasce do egoísmo e da separação. Procurem combinar o impulso sexual com a única realidade e o único remédio do universo — o amor.* Só é possível combinar amor e energia sexual desenvolvendo a alma, como no caminho que vocês estão trilhando.

Que tipo de culpa é justificado?

O que, por outro lado, é a culpa justificada? Quando você magoa outra pessoa, na crença ignorante de que o egoísmo é uma proteção — quando você fere ativa ou passivamente, por ação ou omissão — *a culpa é justificada.* Entendam bem a diferença, meus queridos amigos, entre a culpa pela imperfeição atual e a culpa pela vontade do eu que prejudica os outros. Ser imperfeito não é algo que, em si, deve originar sentimentos de culpa. Mas a culpa por danos causados aos outros, por mais involuntários que tenham sido — por imperfeição, cegueira e ignorância — é culpa justificada, que vocês devem enfrentar sem rodeios e corajosamente. A diferença entre os dois tipos de culpa que descrevi é imensa, embora delicada e sutil. Pensem a respeito. É muito importante.

126

Qual deve ser a sua atitude em relação à culpa justificada? O que seria saudável e construtivo? Seria fácil dizer: "Não fui capaz de evitar esse comportamento no passado. Eu era ignorante, cego e egoísta. Era covarde demais para ousar amar e esquecer o meu pequeno ego. Admito que feri outras pessoas com essa atitude, e agora estou disposto a saber exatamente como eu as feri. Não faz diferença se eu causei sofrimento por meio de atos, de palavras, de pensamentos ou da reação emocional, pelo que fiz ou deixei de fazer. Quero realmente mudar. Com a ajuda de Deus, vou conseguir. Para isso, preciso identificar claramente a dor direta ou indireta que minha atitude causou aos outros." Em seguida, pensem na dor que vocês causaram. Orem por luz para entender. Tenham coragem de arcar com a responsabilidade sem o orgulho dos sentimentos de culpa errados e destrutivos que fazem exagerar a "maldade" e levam vocês a se sentirem perdidos a respeito de si mesmos.

As três possíveis reações erradas, ao reconhecer a dor causada aos outros, são: *desesperança* — sentimentos de culpa destrutivos e negativos, que fazem a pessoa achar que ela é um caso perdido; *autojustificação* — colocar a culpa nos outros pelos males reais ou imaginários que "forçaram" vocês a reagir daquela forma; e *negação* — a temerosa recusa em considerar a imperfeição que pode não combinar com a auto-imagem. Em diferentes ocasiões, vocês podem ter qualquer uma dessas reações. Cuidado com todas elas. Encontrem o caminho certo: ponham-se no lugar da pessoa prejudicada, assumam a culpa justificada, decidam-se a mudar, a renunciar ao medo de amar. Essa atitude é saudável e construtiva. A mágoa sentida ao perceberem a dor infligida involuntariamente — dor não intencional, pois foi provocada pelas conclusões erradas tiradas da sua própria imagem — é saudável; ela incentiva a perder o medo e o egoísmo. Ela promove um movimento interior saudável e construtivo. Ela coloca em movimento, dentro da alma, a força vital. Pois, entre muitas outras coisas, a força vital é verdade e coragem.

Não há dúvida, caríssimos, de que todos aqueles que realmente quiserem poderão conquistar cada vez mais a beleza, a paz, a vida dinâmica e a segurança interior que decorrem da autopercepção que vocês começaram a cultivar. Vocês viverão momentos no eterno agora de cada um, em vez de tentarem afastar-se dele. Cada *momento* precisa trazer respostas. Se vocês se lembrarem desse simples fato em suas meditações, no modo de encarar a si mesmos, as meditações se tornarão mais proveitosas com o tempo. O que aguarda vocês no futuro é uma libertação ainda maior do que já começaram a sentir.

Sejam abençoados, fiquem em paz, fiquem com Deus.

CAPÍTULO 11

A vida, o amor e a morte

Saudações, caríssimos amigos! Bênçãos para todos vocês. Sejam abençoados todos os esforços que visam ao autodesenvolvimento, à libertação e à autopercepção.

Uma das dificuldades fundamentais da humanidade é a luta para superar a dualidade entre a vida e a morte. Dessa situação básica derivam todos os outros problemas, dificuldades, medos e tensões contra os quais é preciso lutar. Quer a sua manifestação seja direta, como medo da morte, ou apareça como medo da velhice ou do desconhecido, trata-se sempre do *medo da passagem do tempo.*

Para aplacar esses medos, a humanidade criou conceitos filosóficos, espirituais e religiosos. Mas os conceitos, mesmo quando nascem da experiência real de alguém, não diminuem a tensão. A única forma de superar o medo de reconciliar a grande dualidade é sondar o primeiro desconhecido tão temido: a própria psique.

O grande desconhecido

Na medida em que não têm ciência do que se passa no seu íntimo, vocês têm medo do "grande desconhecido". Na juventude, esses medos podem ser aplacados. No entanto, mais cedo ou mais tarde, todo ser humano haverá de deparar com o medo da morte. Quero frisar de novo: na medida em que vocês se conhecem, vocês se preenchem, preenchem a vida, preenchem o potencial latente. E, na mesma proporção, a morte não é temida, mas sentida como um desenvolvimento orgânico. O desconhecido deixa de representar uma ameaça.

Um dos principais obstáculos para superar o medo da morte é *o medo de abrir mão das barreiras que separam os sexos.* Existe uma ligação muito direta entre essas três coisas: medo do próprio inconsciente, medo do amor ao sexo oposto e medo da morte. Depois de sentirem em vocês mesmos essas ligações, no esforço do autoconhecimento, vocês reconhecerão a verdade dessas palavras.

A realização pessoal depende da realização de vocês como homem ou mulher, respectivamente. Em última análise, não é possível a alguém se realizar sem superar a barreira que o separa do sexo oposto, tornando-se assim verdadeiramente homem ou mulher. É claro que a realização pessoal também tem outros aspectos. Talvez vocês não estejam cientes de determinados potenciais que possuem: talentos, pontos fortes, boas qualidades intrínsecas, tais como a coragem e a engenhosidade, largueza de vistas, criatividade. No entanto, nada disso pode de fato desenvolver-se em todo o seu esplendor se o homem não se tornar de fato um homem e a mulher não se tornar de fato uma mulher. A realização pessoal que ocorre enquanto permanece de pé a barreira à união com um parceiro só pode ser parcial e condicional. Pois essa barreira indica resistência à individualidade plenamente desenvolvida e insistência numa infância artificial.

Quando toda a resistência às áreas desconhecidas de cada um desaparece, desaparecendo assim o medo de si mesmo, é possível que persista o medo de outros seres humanos, incluindo os do sexo oposto. Uma grande liberdade e confiança interior, nascidas da atitude objetiva e realista, soltam a mão de ferro controladora que bloqueia o caminho do *abandono ao estado de ser.* Quando vocês se realizam, não existe mais barreira, não existe mais a ligação com o medo do desconhecido, a desconfiança de si e dos outros. Essa mesma ligação impede a entrada na corrente cósmica da atemporalidade que se sente na mais elevada ventura da união com o parceiro, e que se sente na mais elevada ventura do que vocês chamam morte.

A morte tem muitas faces. Os que têm medo, os que se apegam rigidamente ao pequeno eu, podem sentir a morte como a temida reclusão e separação; mas, para os que não têm medo de viver plenamente, de se expandir e deixar de preservar o pequeno eu, a morte é a glória que a união sobre a terra pode ser, e mais ainda! *Portanto, a luta pela realização pessoal, em última análise, precisa levar ao seguinte: em primeiro lugar, à superação das barreiras entre a consciência e as áreas ocultas da psique.* Essas áreas ocultas nem sempre são disfarçadas e inconscientes — muitas vezes estão bem à vista, para quem quiser ver. *Em segundo lugar, à eliminação das barreiras entre vocês e o seu parceiro,* seja ele quem for numa determinada fase. E a *terceira barreira é a que existe entre vocês e a corrente cósmica.* Sempre que forem levados por essa corrente, vocês sentirão que ela é íntegra. Ela é funcional, é orgânica. Mas os que têm medo de si mesmos e dos outros e, portanto, da corrente de ser, não confiam na passagem do tempo. Apegam-se firmemente ao pequeno eu, criando uma barreira de nuvens entre a percepção momentânea e a consciência superior.

Três obstáculos básicos à auto-expressão

Três obstáculos básicos são *orgulho, vontade pessoal e medo. Todos os conflitos derivam desses três defeitos humanos fundamentais. A mesma tríade bloqueia o acesso às três vias de expansão pessoal.* Vamos examiná-las mais de perto.

Considerem, em primeiro lugar, a barreira entre o consciente e o inconsciente.

O orgulho bloqueia o caminho porque vocês receiam não gostar do que encontrarão se se aventurarem no interior desconhecido. Isso pode não ser lisonjeiro nem compatível com a auto-imagem idealizada, criando um bloqueio de orgulho que prejudica a visão interior.

A vontade pessoal separa o consciente do inconsciente, porque vocês receiam que aquilo que encontrarem poderá forçá-los a fazer alguma coisa que o pequeno ego não quer fazer, ou renunciar a algo que ele não deseja perder. A vontade pessoal quer que o pequeno ego fique no controle, para vocês poderem agarrar-se ao conhecido.

O medo bloqueia o caminho quando o orgulho e a vontade pessoal indicam falta de confiança; nesse caso, o medo faz acreditar que a realidade final não merece confiança. A realidade cósmica impregna o mais profundo do inconsciente, como uma corrente de eventos cósmicos. Se vocês entrarem nessa corrente, ela só pode ser benigna, trazendo felicidade, satisfação, dando sentido à vida. Desconfiar da corrente e, portanto, apegar-se ao conhecido, na crença de que poderão se sair melhor do que correndo o risco de entrar no desconhecido cria barreiras de medo. É esse medo que bloqueia o pleno autoconhecimento.

A tríade composta de orgulho, vontade pessoal e medo também se aplica à barreira entre o eu e o parceiro.

O orgulho entra em cena porque tanto os homens como as mulheres têm medo da aparente impotência — e, portanto, vergonha — de submeter-se a uma força maior que o pequeno ego. O amor entre os sexos é uma experiência de humildade; portanto, é inimiga do orgulho. O orgulho quer dirigir e controlar; ele não quer render-se a nenhuma força, mesmo que ela seja a mais desejável. Mesmo que vocês e todas as outras pessoas passem pela vida querendo amar, continuam bloqueando o amor e encontrando formas de descobrir um meio-termo entre essas correntes contraditórias dentro da alma, que continua a resistir. A força que leva ao amor é de fato grande, pois se origina da natureza mais íntima. No entanto, a força do orgulho, da voluntariosidade e do medo afasta do amor.

O caráter voluntarioso se opõe ao amor porque deseja controlar tudo; não consegue submeter-se. Vocês têm a impressão — equivocada, naturalmente — de que só estão seguros enquanto estiverem sob as ordens e o comando do pequeno eu. Sentem a infundada apreensão de que submeter-se à força do amor é o mesmo que a insensata e surda falta de realismo. Não é assim. Realismo, objetividade, capacidade de renunciar e disposição de amar sem medo não apenas são compatíveis, mas também dependentes entre si. Vocês bloqueiam a experiência do amor por medo de perder a dignidade — ou seja, por orgulho — e a individualidade — ou seja, o caráter voluntarioso — quando, na verdade, a verdadeira dignidade e individualidade só podem ser alcançadas renunciando ao orgulho e à vontade pessoal.

O medo de perder a própria vida não é diferente do medo que bloqueia a venturosa experiência de se perder na união com o parceiro. Alguns de vocês talvez sintam a semelhança, pelo menos de vez em quando.

A tríade formada por orgulho, vontade pessoal e medo também influencia a atitude em relação à morte. Morrer, no fim das contas, significa renunciar à autodireção — e essa renúncia, por estranho que possa parecer, se assemelha a uma humilhação. Para evitar a humilhante verdade de que o pequeno eu não é todo-poderoso, vocês se agarram a ele através do orgulho e da vontade, criando assim ondas cada vez mais fortes de medo.

Para solucionar o conflito entre o abandono do eu e a posse plena do eu, eu gostaria de formular uma pergunta que pode até parecer um paradoxo: vocês estão nesse caminho tão árduo da autopercepção apenas para se tornarem capazes da renúncia total na união com o outro sexo e com a morte? A verdade é que vocês não podem renunciar ao que não encontraram, pois não podem deixar livremente para trás algo que, na verdade, nunca possuíram. Só quando puderem renunciar livremente à individualidade é que vocês terão mais individualidade.

Pois bem, se a morte, ou o ato de morrer, pode ser uma experiência tão venturosa, por que sua percepção é tão sombria? Por que não existe um instinto de morte, um anseio pela morte como, por exemplo, o forte instinto de perder-se no amor? Por que se deve ir ao encontro da morte sem a ajuda de impulsos instintivos, e por que a maioria dos seres humanos se esforça para superar a barreira do medo? Vocês podem perguntar por que nós, na terra, temos de combater esse grande desconhecido?

Por que não existe o instinto da morte?

À primeira vista, essas perguntas parecem ser justificadas e lógicas, mas, a um exame mais aprofundado, é possível entender por que as coisas precisam ser como são. Vocês vêem, meus amigos, seria tão fácil desejar a morte quando se é incapaz de lidar com uma vida de dor e de insatisfação. Nesse estado de terror ilimitado, ignorante e cego, todos vocês fugiriam facilmente para a morte — mesmo que, nesse caso, a morte não se mostrasse nem um pouco diferente da vida, pois ambas são intrinsecamente a mesma coisa. Para evitar essa fuga destrutiva é preciso que o instinto da vida seja muito forte, e ele só pode operar enquanto a morte permanece como algo desconhecido. As palavras não podem eliminar o medo que vocês têm do desconhecido, mas o instinto da vida pode impedir que vocês optem pela morte por motivos destrutivos e negativos. Isso dá forças para tentar e tentar outra vez, até finalmente dominar a vida por meio da compreensão do eu e, portanto, do universo. Aí, então, a compreensão interior finalmente revela que não é preciso temer a morte — ou que o temor é exatamente proporcional ao medo ainda existente de viver e amar. Por conseguinte, a aguda cisão entre vida e morte, sua oposição ilusória, começam a diminuir. Já não é preciso correr para a frente, nem é preciso deter-se.

Se vocês examinarem suas atitudes conscientes e inconscientes em relação à passagem do tempo, à vida e à morte, verão que elas são idênticas entre si e idênticas às atitudes mais recônditas e ocultas em relação ao amor, independentemente dos desejos saudáveis e conscientes. Vocês verão que o medo do desconhecido intervém em todas essas atitudes. Verão que oscilam constantemente entre a tentativa, decorrente do medo, de deter o tempo, e a vontade de correr para diante, pois o momento atual é insuportável. De fato, é muito rara em vocês a harmonia com a corrente cósmica da sua vida, da sua individualidade. Este é o significado verdadeiro de estar em paz consigo mesmo, estar em harmonia com Deus: não retroceder, não avançar à força, mas dissolver-se na correnteza da vida, totalmente senhor de si, mas sem medo de renunciar ao domínio. Esta é a grande experiência com que vocês são abençoados e têm o privilégio de conhecer ao encontrarem o parceiro. E esta será, em última análise, a experiência de entrar em uma nova forma de consciência.

O segredo é a descoberta de si mesmo

Quando vocês evitam olhar para algumas facetas de vocês, não podem deixar de *projetá-las no exterior*, em outras pessoas e na vida exterior. Essa projeção não gera paz nem libertação, a despeito de quanta satisfação precária, temporária pareça proporcionar. Muitas vezes, não é fácil identificar de que modo o medo do eu e da vida aparece em vocês. Ele pode manifestar-se apenas através de sintomas. Procurem os sintomas e examinem o seu significado. Tomem, por exemplo, a atitude de vocês em relação ao trabalho, atitude confessada e verdadeira; a atitude em relação ao sexo oposto, também confessada e verdadeira; as reações às circunstâncias da vida atual. Tudo isso precisa ser visto com o espírito penetrante da veracidade. Quando vocês puderem identificar o medo ou, para usar um termo mais psicológico, uma resistência ao eu íntimo, podem estar certos de que há uma dose igual de medo da morte. E também de medo de amar, de entregar-se a essa grande experiência. Descubram, olhem para dentro, e vocês avançarão bastante.

Cada pequeno passo na direção certa acabará dissipando as nuvens, superando as barreiras, entre vocês e a corrente atemporal da consciência superior. Essa consciência proporciona toda a sabedoria, a verdade e a justeza necessárias para a vida cotidiana. Alguns de vocês já conseguiram, em certas ocasiões, ligar-se a essa fonte, mas, depois, a perderam. Ao entrar em contato com a fonte interior de paz, de verdade e do mais elevado contentamento, vocês terão uma compreensão profunda do significado da criação.

A verdade é como o sol em torno do qual giram todos os planetas, enquanto ele permanece constante e brilhante, mesmo que muitas vezes coberto por nuvens. As nuvens são o orgulho, o caráter voluntarioso e o medo, a ignorância e a vontade de retroceder ou de acelerar o tempo. Mas, nos momentos em que percebem a verdade de vocês — que pode ser a mais banal ou aparentemente insignificante em termos de desenvolvimento cósmico — as nuvens se dispersam e o sol quente da consciência superior traz a regeneração pela força e pelo bem-estar, pela alegria e pela paz. Esse sol interior está sempre pronto para aquecê-los e avivá-los; mas vocês, meus caros amigos, precisam superar muito mais coisas. Nesse momento, todos os medos, todo o orgulho, todo esse caráter voluntarioso sucumbirão. Depois disso, muitas das reações, sentimentos e expressões de vocês, bem como seu efeito sobre os outros, e vice-versa, serão drasticamente diferentes.

O eterno agora

Este não é um tema fácil. Este tema exige mais do que uma busca de entendimento com a mente que, em si mesma, pouco percebe. Exige a compreensão mais aguçada do seu ser, que só pode vir quando vocês examinarem os sentimentos que os afastam da felicidade neste momento. Se examinarem seus desejos, medos e necessidades, apreensões e reações — certas ou erradas — a este e a qualquer momento, vocês descobrirão o eterno agora. Nele, poderão viver sem medo, com a justa confiança no desconhecido. Não é preciso tornar-se perfeito; vocês são perfeitos, em certo sentido, quando conseguem serenamente encarar, reconhecer e aceitar as imperfeições atuais.

Quando vocês deixarem de lutar contra o eu, desfazendo-se do orgulho e da falsidade, e estiverem dispostos a mudar, vocês também irão desfazer-se desse caráter voluntarioso, junto com todos os medos, de si mesmos ou dos outros, da vida, do amor e de morrer — tudo isso se derrete como gelo ao sol.

Bênçãos para cada um de vocês. Não se desesperem, meus amigos, quando sentirem as barreiras que analisamos esta noite. Elas são eliminadas com mais eficácia pela percepção da sua existência do que pela ignorância. Percebam e entendam essa importante verdade. Apropriem-se dela, testando-a, e isso os alegrará. Que cada um de vocês seja abençoado nessa nova consciência. Fiquem em paz, fiquem em si mesmos e, portanto, em Deus!

CAPÍTULO 12

Da interação negativa e inconsciente à escolha consciente do amor

Saudações e bênçãos para cada um dos meus amados amigos! O poder do amor e a força da verdade crescerão cada vez mais e sempre naqueles que avançam no caminho.

Nesta palestra, procurarei demonstrar o que a interação psíquica *inconsciente* entre vocês e os outros significa em termos de *perda do amor*.

Quando vocês estão apenas vagamente cientes do seu lado negativo, mal percebendo a dor que infligem aos outros, engalfinham-se numa luta de culpa e de autojustificação. Não conseguem deixar de associar os outros — com seus próprios conflitos inconscientes — a esse lado negativo. Por não admitir o lado negativo, vocês incorrem em dupla culpa. Primeiro, a culpa pela própria atitude negativa. Podemos chamá-la de *culpa primária*. Quando vocês não admitem a negatividade, envolvem-se no que podemos chamar *culpa secundária*. Se a culpa primária fosse admitida e suas conseqüências verdadeiramente aceitas, ela deixaria de ser culpa. Mas a culpa secundária cala fundo na alma de todos. É uma carga que consome muita energia vital. A negação sempre implica atos prejudiciais, internos ou externos, para com os outros; estes são punidos pela falhas, intenções negativas, falta de amor, inveracidade, despeito e exigências injustas presentes em vocês.

Se vocês estiverem cientes, por exemplo, de que não querem amar nem fingir o contrário, a responsabilidade é de vocês. Se perceberem que pagam um alto preço por uma existência sem amor, mas preferirem deixar as coisas como estão, pelo menos não estarão envolvendo outras pessoas na culpa de não amar. Ficarão sozinhos, naturalmente, mas por opção; vocês sabem disso e pagam o preço exigido. Subtraem ao mundo a sua maravilhosa capacidade de amar, é verdade e, nesse sentido, vocês falham.

Culpar os outros

Mas quando vocês culpam os outros pela falta de amor, mesmo que usem defeitos reais como desculpa, quando vocês os punem pelo resultado da sua própria atitude de desamor e concebem argumentos para justificar o retraimento, vocês, meus amigos, fazem mal de verdade.

Este processo é muito difundido, muito comum, e no entanto é tão sutil que só as pessoas possuidoras de uma considerável capacidade de autopercepção podem começar a reconhecê-lo em si mesmas, e, portanto, também nos outros. Esta é uma atitude básica. Existe em muitas variações e com diferentes graus de intensidade. A recusa do amor, quando não admitida, manifesta-se muitas vezes na seguinte atitude: "Não quero dar nada a você — seja quem for esse 'você' — mas exijo que você me dê tudo. Caso contrário, vou castigá-lo." Esta atitude é muito típica. Quanto mais disfarçada e menos conscientemente expressa ela for, tanto mais insidioso será o seu efeito sobre o eu e os outros. É sempre relativamente fácil negar, racionalizar, distorcer, disfarçar ou usar meias-verdades para justificar essa atitude.

Quando vocês se conscientizam dela e conseguem identificá-la nos amigos, o influxo da saúde, do ar fresco e puro da verdade psíquica é instantâneo: vocês se libertam da culpa secundária. Quanto mais vocês trouxerem à tona todos os detalhes da disparidade entre suas exigências e falta de generosidade, de um lado, e, de outro, a punição que aplicam quando essas exigências não são atendidas, tanto mais se libertarão da culpa. Quanto mais claramente conseguirem enxergar a desigualdade entre o que exigem e o que dão, a disparidade entre o modo como gostam de ser tratados e o modo como tratam os outros, e a forma específica escolhida para punir — sempre de modo a não serem apanhados, para fugir à responsabilidade — mais depressa se libertarão de uma carga que provoca depressão, ansiedade, preocupação, sensação de desespero e, muitas vezes, também doenças físicas e frustração material.

Uma das formas mais comuns de punir os outros quando estes não retribuem à falta de generosidade com amor é considerá-los culpados — argumentando de tal forma que eles pareçam ser a causa da sua infelicidade. E vocês podem achar que têm muita razão se preferirem considerar apenas o resultado, o retraimento despeitado. Vocês passam a ignorar deliberadamente o fato de que não é possível conseguir a reação desejada quando a sua própria psique ainda está presa a uma postura negativa e mesquinha diante da vida.

O lado negativo de vocês diz: "Vou negar a verdade e culpar o outro por não me dar tudo e não me deixar levar a melhor com minhas exigências unilaterais. Se ele ousar reagir, minha punição será detestá-lo e culpá-lo ainda mais." Aqueles que estão no início do caminho, ou que construíram uma auto-imagem muito idealizada — onde não há espaço para essa verdade — pensarão, a princípio, que é impossível que eles, também, possam ter uma atitude igual. A melhor medida para determinar se essa atitude está ou não presente é considerar o estado da mente e das emoções. Se vocês não sentem ansiedade e ficam à vontade com os outros, se a vida está se desenvolvendo a contento, e se vocês encaram as dificuldades eventuais como degraus significativos, já superaram em boa medida essa atitude venenosa. Mas em alguma época ela já esteve presente; foi preciso vencer os obstáculos do orgulho, da importância dada ao disfarce, da covardia.

Quando admitem a malevolência, meus amigos, vocês realizam o mais fundamental ato de amor, quer saibam disso ou não. Se vocês não admitem a intenção negativa, podem dar muita coisa, mas jamais dão aquilo que é real, o que conta mais. Podem dar coisas, dinheiro, fazer o bem, até ter ternura e interesse, mas estas são dádivas vazias se não forem acompanhadas pela dádiva da liberdade, através da admissão honesta do seu lado negativo.

A culpa decorrente das exigências injustas, do despeito, da retirada do amor, e a culpa composta, que nasce quando os outros são castigados pelas desgraças de vocês, corroem a força e a expressão de vocês mesmos. Enfraquecem de verdade. Enquanto mantiverem essa atitude, como vocês poderão ter fé em si mesmos, acreditar na própria dignidade como seres humanos livres? Vocês podem tentar todos os tipos de formas artificiais de adquirir autoconfiança, mas essa tentativa não dará certo enquanto não enfrentarem a culpa secundária e se livrarem dela, admitindo-a. Então, podem até conservar, se quiserem, a culpa primária — a culpa de não querer amar —, mas pelo menos terão assumido essa responsabilidade.

Vocês vêem, meus amigos, que o mundo de vocês é um mundo de dualidade. Existe tanta confusão por causa da alternativa entre isto ou aquilo. A humanidade está entravada pelo conceito dualista de que um dos dois precisa levar a culpa — seja pelo que for. Ou você é mau e errado, ou o outro é. Isso cria uma séria dificuldade, tornando impossível estar com a razão. Se você está errado e o outro não tem culpa, você sente que existe alguma coisa não totalmente certa com essa situação. Também sente que lhe atribuem uma responsabilidade indevida. Se você é o único a assumir o ônus da culpa, certamente espera ser condenado ao ostracismo. Esta suposição é uma carga intolerável; não corresponde à verdade e não permite ver com clareza. Faz com que vocês se sintam ainda mais inferiores e indignos de amor. A infelicidade parece uma punição justa, e não uma escolha que pode ser alterada à vontade. Quem assume toda a culpa permite, por assim dizer, que os outros manifestem secretamente suas intenções negativas.

Quem, ao contrário, sente necessidade de se justificar totalmente ao explicar seu comportamento, também se coloca numa situação terrível: ele também sente que alguma coisa está errada, e sabe que considerar o outro totalmente mau também não corresponde à verdade. Se for preciso manter essa farsa, que pode parecer desejável para se livrar da culpa, a pessoa pode se tornar ansiosa, medrosa, vivendo sob a ameaça de que suas defesas sejam destruídas — essa pessoa não pode se permitir ser descontraída, natural e íntima dos outros. Ao escolher o partido da "inocência", ela impossibilita qualquer tipo de intimidade. Nesse caso, ela também não consegue sentir-se bem.

A interação inconsciente

A maioria dos seres humanos ainda é incapaz de perceber como a distorção e o negativismo afetam e reforçam diretamente as distorções e o negativismo dos outros, formando um engate. Na interação entre duas psiques, ocorre o seguinte. Suponham que alguém passe a seguinte mensagem não-verbal a quem esteja ligado numa interação negativa: "Vou castigar você por não preencher minhas exigências, que são insaciáveis. Não vou amá-lo nem dar-lhe nada. Vou castigá-lo, fazendo-o sentir-se culpado, e se você quiser alguma coisa de mim, vou negar. Vou castigá-lo da forma mais exemplar, passando a ser sua vítima, para você não poder me culpar nem me pegar." Suponham que o outro esteja tentando interiormente adotar uma postura semelhante. A resistência dessa pessoa, por sua vez, pode ser expressa nesses termos: "Não posso desistir da atitude defensiva. Os outros estão dispostos a me ferir, a fazer de mim uma vítima e a me explorar. Se eu abrir meu coração ao amor, não conseguirei nada a não ser rejeição, injustiça e ódio. Não vale a pena. É melhor continuar fechado." Imaginem como a atitude de autovitimização da primeira pessoa reforçará a resistência irracional da segunda a abrir-se, a se tornar vulnerável, a amar. A parte amedrontada da alma, que se "protege" pela negação e pelo retraimento, será consideravelmente reforçada sempre que deparar com as intenções negativas do outro. O castigo muitas vezes assume a forma de graves acusações que difamam o caráter do outro. Ou é possível até usar os defeitos verdadeiros do outro para castigá-lo por não estar à altura das exigências feitas e por não aceitar entrar num acordo em que um deve dar tudo e o outro, pouco ou nada.

A interação inconsciente nessa área, portanto, fortalece e justifica a convicção de que a atitude negativa é uma defesa necessária. Desse ponto de vista tacanho, esta parece uma postura correta. Assim, quando as intenções são negativas, você também é responsável pelo outro. Uma das verdades aparentemente paradoxais da realidade espiritual é que, embora você seja primordialmente responsável por si mesmo, também é responsável pelo outro, de maneira diferente. Pelo mesmo critério, a intenção negativa do outro fere você, e ele também é responsável perante você. Entretanto, o outro não poderia ter êxito se você não fincasse pé tenazmente. Nesse sentido, você é responsável. *Todos têm a opção de usar as más intenções dos outros como desculpa para não amar, ou para procurar uma nova forma de reagir à vida.* Portanto, é igualmente correto dizer que você é exclusivamente responsável por si mesmo e que os outros são exclusivamente responsáveis por si mesmos e que, em última análise, todos são responsáveis pelos outros.

Não há divisão na realidade máxima

No fim das contas, não existe divisão entre o eu e o outro. Vocês são o outro e os outros são vocês. A separação é uma ilusão. Portanto, quando vocês acabam com o velho padrão de culpar os outros para justificar seu modo injusto de proceder e as exigências mesquinhas que fazem, vocês se livram desse duplo grilhão e também ajudam a libertar o outro. Naturalmente, os outros não devem depender de vocês para isso; cada um deveria cuidar de si e encontrar a sua própria saída. "Os outros não devem depender do fato de eu superar os meus aspectos negativos e os meus problemas para poderem superar os deles", vocês poderiam dizer. E estão ao mesmo tempo certos e errados. Estão certos, porque os outros podem realmente fazer o que quiserem, independentemente do que vocês façam. Os esforços, a dedicação e o compromisso deles, e não a atitude de terceiros, determinarão o resultado. Mas vocês também estão errados por não perceberem que o ato de verdade praticado, que é um ato de amor, ajuda a libertar os outros. O fato de vocês aceitarem a parte que lhes cabe elimina muita confusão, permitindo identificar a verdadeira contribuição de cada um a uma interação psíquica negativa. O efeito libertador é enorme.

Imagine como vocês se sentiriam se uma pessoa próxima, que os tenha feito sofrer por ter apontado culpas reais e falsas, mas que também tenha criado confusão negando sua própria culpa, dissesse de repente: "Percebi que não desejo dar-lhe amor. Quero fazer exigências a você e depois culpá-lo, acusá-lo e puni-lo por não atender meus desejos. Mas não quero que você se sinta magoado, porque embora eu queira magoá-lo, não quero sentir culpa por isso." Vocês percebem o efeito libertador dessas palavras? Provavelmente vocês não reagiriam a tal ato de amor com hipocrisia, declarando que sempre souberam disso, e colocando-se no papel de vítimas inocentes.

Se vocês admitirem o caráter injusto de tantas exigências e o medo de expor os sentimentos e as intenções negativas, podem sair com o orgulho ferido, e nada mais. Seu interlocutor, naquele momento, recebe uma dádiva de amor, mesmo que vocês possam continuar não querendo amar com o coração, com as emoções, com o interior. Mas vocês começaram a amar, porque começaram a ser autênticos.

Ao libertar os outros da falsa culpa que é atribuída a eles para disfarçar a culpa que vocês sentem, vocês permitem que eles tenham uma noção da culpa real, sem ficar arrasados e sem a dolorosa luta interior onde se confundem culpas e acusações recíprocas. A libertação e o esclarecimento muitas vezes levam à solução dos problemas mais profundos. É como se a personalidade precisasse dessa graça "exterior", dessa "mão amiga". Pois a atribuição desonesta de culpa aos outros torna quase impossível que estes se exponham; significa que, se eles admitirem a culpa, vocês estão certos ao acusá-los de serem maus, de provocarem a sua desgraça. É assim que as pessoas ficam presas umas às outras por atitudes negativas, projeção de culpa, do tipo ou isto ou aquilo, confusão e interações negativas. Alguém precisa começar a desengatar a corrente e a desamarrar os nós.

A intencionalidade negativa é uma defesa. Ela deriva da crença inata de que o mundo não merece confiança e de que a único meio de se proteger é ser tão mau quanto o mundo — ou pior ainda. Quando admitem a própria maldade, estão ajudando os outros a começarem a confiar na decência das pessoas. Eles podem, então, começar a ponderar: "Talvez a vida não seja tão perigosa, afinal. Talvez eu não esteja sozinho na minha vergonha e culpa ocultas. Talvez eu possa esquecer. Talvez eu também possa admitir esses sentimentos sem ser considerado o único responsável." Que diferença isso faria na atitude de todos em relação à vida! Como isso afetaria a situação espiritual da entidade humana!

Os efeitos positivos da honestidade

Quando todos vocês trabalham juntos dessa maneira honesta, o sistemas de energia começa a mudar. O amor não é um comando emitido pela vontade e pela mente; não é uma abstração, não é um gesto teatral e sentimental. É vigoroso, afirmativo e livre. *A honestidade é a mais necessária e rara forma de amor entre seres humanos.* Sem honestidade, sempre

143

persiste a ilusão de que uns são separados dos outros; de que os interesses são antagônicos; e de que, para proteger os próprios interesses, uns precisam derrotar os outros.

Só quando vocês conhecerem o seu lado negativo, meus amigos, e realmente aceitarem e assumirem a responsabilidade por ele, sem precisar mais projetá-los nos outros — e para isso é preciso distorcer a realidade — conquistarão, de súbito, uma nova compreensão dos outros, sabendo o que se passa com eles, mesmo que eles não o admitam. E isso também é libertador. É por isso que todos os que admitem o pior em si mesmos inevitavelmente sentem que o resultado imediato é alegria, libertação, energia, esperança e luz.

O desenvolvimento espiritual confere a vocês o dom de conhecer o interior dos outros: o que pensam, o que pretendem, o que sentem. Não é mágica; é algo que acontece naturalmente, porque, na verdade, vocês e os outros são um só. Ao ler corretamente o que está na mente de vocês, não poderão deixar de ler a mente dos outros — pois, na realidade, a mente é uma só. Os outros são um livro fechado apenas enquanto vocês se escondem da própria mente. Ser capaz de ler a mente dos outros seria uma mágica perigosa se derivasse do poder psíquico de alguém. Esse poder poderia ser mal usado. Mas sempre que essa capacidade cresce organicamente, como subproduto do conhecimento da própria constituição interior, é algo natural, não passível de ser mal usado a serviço de impulsos de poder e negativismo.

A expansão para a percepção mais elevada

Quando os seres humanos evoluem para um estado mais expandido, precisam de outros instrumentos. Vamos tomar a simples analogia de alguém que dirige uma empresa. Quando a empresa é muito pequena, a organização é adequada ao tamanho e à finalidade da firma; portanto, tem harmonia. Mas quando a empresa se expande, a organização criada para o pequeno estabelecimento já não serve. Se os proprietários foram rígidos demais para mudar e continuarem se apegando ao velho sistema consagrado, a expansão pode ser um fracasso, ou pelo menos pode ser muito difícil de administrar.

A mesma lei, meus amigos, aplica-se à expansão interior. À medida que vocês crescem e aprendem sobre si mesmos e, portanto, sobre os outros e o mundo, experimentam a vida de um modo mais profundo e variado — e essa, no fim das contas, é a finalidade da encarnação. Vocês aprendem a ter sentimentos que antes evitavam; estão preparando o terreno, por assim dizer, para a "expansão operacional". Em termos práticos, isto significa que as atitudes que um dia foram úteis agora podem tornar-se destrutivas e limitadoras.

No caminho da evolução, as entidades crescem de várias formas e preparam o terreno para novas atitudes em relação à vida. No entanto, elas podem impedir a expansão, recusando-se a renunciar a determinadas atitudes obsoletas. Assim, vocês agora precisam adaptar-se a novas maneiras de reagir ao mundo, meus amigos; não devem reagir aos outros como eles reagem a vocês, e precisam também mudar de forma a reagir ao que acontece no seu íntimo. Isso é uma decorrência, em primeiro lugar, da constatação de que a antiga resposta é um reflexo condicionado adequado à maneira mais tacanha de viver. Em segundo lugar, esta é uma decorrência do questionamento do reflexo e das crenças que estão por trás dele. E, em último lugar, mas não menos importante — e este é o tema central da palestra desta noite — é uma decorrência da *escolha do amor, e não da separação, como forma de estar no mundo.*

Quero frisar outra vez que esta não deve ser uma simples palavra para encobrir muitas coisas que vocês não querem admitir. A opção pelo amor deve ser colocada em prática de acordo com o estágio interior. Admitir o lado negativo é sempre um ato de amor, quer isso seja feito diretamente perante a pessoa com quem vocês estão em conflito — o que é preferível — ou perante alguém não pessoalmente envolvido no episódio. E é também um ato de amor com relação ao universo. Mesmo que vocês decidam, por enquanto, conservar os aspectos negativos, meus amigos, pensem que um dia vocês vão querer renunciar a eles, por amor ao universo e por amor a si mesmos.

O amor é a resposta

Aquele que não abre seu coração perde suas forças. Por mais correto que seja o diagnóstico, por mais que vocês venham a entender os antecedentes, a história e a dinâmica de uma situação problemática, jamais ocorrerá uma mudança real se vocês não se decidirem a abrir o coração. Vocês não poderão ficar satisfeitos, meus amigos, se não sentirem com o coração. É inútil fingir que querem amar, ou mesmo que amam, enquanto estiverem com medo de sentir o que sentem. Quando isso acontece, vocês fogem do amor.

Vocês não podem ser fortes e corajosos; não podem amar a si mesmos enquanto não amarem. Da mesma forma, somente quem ama aos outros pode amar a si mesmo. O primeiro passo deve ser a vontade de amar. Ninguém começa a amar simplesmente porque decide. *É preciso invocar a natureza divina do seu mais recôndito núcleo para ter a graça de amar.* A graça de Deus pode manifestar-se por seu intermédio, fazendo com que abram o coração e percam o medo dos sentimentos, da vulnerabilidade. Isso é tudo de que vocês precisam. Quem não ama, não tem nada. Quem ama, tem tudo.

Mas amar com falsidade, como uma farsa, é muito menos amar e muito mais ilusório e prejudicial do que admitir o ódio. Admitir o ódio é um ato de mais amor do que o ato aparentemente amoroso que nega o ódio. Pensem nisso, meus amigos.

A raiva saudável pode ser uma expressão do amor

PERGUNTA: E a raiva? Será que eu entendi direito, ou seja, que às vezes é bom deixá-la extravasar?

RESPOSTA: Sim. A raiva saudável precisa ser expressa de vez em quando, numa vida bem integrada. A raiva saudável não gera desarmonia interior. É um grande erro ignorar ou negar este fato. A negação vem da junção artificial das forças interiores e da sobreposição de bondade forçada e falsa. A noção de que não existe raiva ocasional numa pessoa efetivamente desenvolvida do ponto de vista espiritual é uma falsa crença, nascida do medo e da obediência.

No plano humano, a raiva saudável é uma necessidade. Sem ela, não haveria justiça nem progresso. As forças da destruição prevaleceriam. Permitir que essas forças assumam o controle é fraqueza, não amor; medo, não bondade; colocar panos quentes e incentivar o abuso, não viver construtivamente. Isso destrói a harmonia, em vez de promovê-la. Destrói o crescimento saudável.

A raiva pode ser uma reação ocasional tão saudável e necessária quanto o amor. Ela faz parte do amor. Ela, também, surge espontaneamente. Ela, também, não pode ser forçada. Tentar forçar ou negar qualquer emoção leva ao auto-engano o que, por sua vez, pode levar a pretender que a raiva doentia é saudável.

A causa não determina se a emoção despertada é raiva saudável ou doentia. A causa pode justificar totalmente a raiva saudável, autêntica, real, que nesse caso, naturalmente, é construtiva. No entanto, a raiva pode ser do tipo doentio, devido aos problemas não-resolvidos, à insegurança, às culpas e dúvidas, às incertezas e contradições dessa pessoa. A questão em si pode provocar raiva justificada, mas a pessoa pode não ser capaz de expressar esse tipo de sentimento.

Na medida exata em que uma pessoa é capaz de sentir e expressar amor verdadeiro, ela também é capaz de manifestar raiva saudável e construtiva. Tanto o amor real como a raiva real vêm do eu interior. Absolutamente todo sentimento real é saudável e construtivo e propicia o desenvolvimento do eu e dos outros. Os sentimentos reais não podem ser forçados, comandados nem impostos. Eles são uma expressão espontânea, que ocorre como resultado natural e orgânico do exame de nós mesmos.

PERGUNTA: Nesse caso, você aceitaria a violência física?

RESPOSTA: Não. A raiva saudável não se manifesta necessariamente como violência física. A expressão de emoções negativas, mesmo quando não são saudáveis, não precisa de maneira nenhuma levar a atos destrutivos, sejam físicos ou não.

Este é um dos equívocos mais freqüentes e prejudiciais. A psique interior receia que o reconhecimento das emoções negativas possa levar à sua manifestação exterior. Não é assim. Pelo contrário, vocês têm liberdade para manifestar ou não, podem escolher como e quando fazer isso, ou concluir se querem expressar alguma emoção apenas quando estão plenamente conscientes. Quando não estão cientes do que realmente sentem e por quê,

147

vocês ficam sujeitos a compulsões de toda espécie, que fazem sofrer e que não são entendimentos. A compulsão é o resultado direto de sentimentos e condições inconscientes e não-reconhecidos. Quanto mais a pessoa se conhece, maior é o seu autocontrole. Não temam, porque não é assim: "Eu não posso encarar a mim mesmo com sinceridade porque, nesse caso, eu teria de colocar para fora impulsos indesejáveis, fazer mal aos outros e, portanto, no fim das contas, fazer mal a mim mesmo." Também é preciso trazer à tona essa apreensão e eliminá-la.

Repitam o seguinte, todos os dias, ao meditar: "A percepção do que sinto, por mais indesejável que seja, me dará liberdade. Tenho opções para agir apenas na medida da minha percepção. Posso decidir expressar verbalmente meus sentimentos quando sua finalidade for boa, como numa sessão com quem me ajuda. Se eu achar que essa expressão pode prejudicar o relacionamento, eu me conterei, sabendo o que faço e sem me iludir." Essa meditação fortalece, pois penetra nas camadas ocultas da psique. A raiva saudável, desde que originária do eu real, sabe exatamente o que fazer e como suprir as necessidades do momento.

Quando existe o medo de expressar uma raiva justificada, também existe o medo de amar, que cria obstáculos às manifestações do eu real, o escoamento do amor autêntico — ao contrário do amor não-autêntico — e da capacidade de expressar uma raiva saudável — em contraposição à raiva distorcida e torturada. A raiva saudável fortalece, a raiva distorcida enfraquece. O amor saudável abrange tudo e é tanto mais enriquecedor quanto mais a pessoa se doa. O amor doentio, torpe e falso empobrece e alimenta o conflito entre o interesse próprio e o interesse dos outros. Ele reforça a dualidade, que é a sua origem, e sempre opõe o bom ao mau. O amor não-autêntico está sempre associado à piedade de si mesmo, ao ressentimento, à hostilidade e ao conflito. Nele sempre há a idéia de que "eu devo amar; portanto, acho que amo, mas não quero amar porque, nesse caso, se aproveitariam de mim. Como eu devo amar mas não quero amar, sinto-me culpado e mau." Quem pensa assim não consegue expressar uma raiva saudável. Ela é abafada no nascedouro pois, como a pessoa não ousa amar, duvida do seu direito de sentir raiva.

Quem continuar a tentar encontrar a expressão correta dos sentimentos no momento presente sentirá a beleza do universo, a verdade da existência sem conflitos. Essa verdade implica amar e receber toda a felicidade a que se tem direito. Se vocês tiverem boa vontade para reconhecer que, por trás da tentativa de amar, está o não-amor, nascido do medo, da mágoa e da ilusão, a constatação do que é ilusório levará finalmente ao amor verdadeiro, ao verdadeiro eu, à expressão autêntica de tudo que vocês sentem e são — que é ser bom e correto.

Assimilem com calma o material apresentado hoje, para poderem estabelecer a mais real e vital de todas as comunicações diretas: a comunicação com o eu espiritual. Para isso, vocês precisam acabar com a auto-ilusão e os disfarces, que sempre bloqueiam o caminho para o Deus interior.

Aqueles de vocês que ainda não descobriram em que aspectos e de que forma não são carinhosos devem decidir-se a fazê-lo. Não se deixem enganar pelo fato de que, sob alguns aspectos, vocês já são carinhosos. Perguntem a si mesmos o quanto vocês estão de bem com a vida. Esta é a medida para saber até que ponto vocês são carinhosos e verdadeiros. Quando admitirem a raiva, a vontade de punir e o despeito, vocês começarão a amar.

Para entender isso, meus amigos, é preciso meditar muito e ter verdadeira boa vontade. Mas, depois, que bela chave para a vida vocês terão! É preciso ter um desejo forte para passar a essa nova consciência. Não resistam à expansão para um novo modo de agir quando estiverem prontos, caso contrário, estarão criando uma crise dolorosa. Quanto menos resistirem, mais suave será a transição para um novo estado, mais verdadeiro e cheio de amor.

Assumam o compromisso de ir mais fundo e mais longe nessa direção. Isso trará benefícios para vocês e para as pessoas com quem convivem. Deixem que isso aconteça. Esta é a maior bênção que pode haver. Vocês criarão o novo clima necessário para um novo ambiente interior — por fora e por dentro.

Vocês são de fato abençoados. Cada passo de verdade, cada passo em direção ao amor, libera mais energia espiritual, ativa mais a sua natureza divina. *Sejam* essa natureza divina!

PARTE III

O relacionamento na era da consciência expandida

O auge do relacionamento entre um homem e uma mulher é a fusão das personalidades purificadas em todos os níveis. De que modo amamos, de que modo vivemos e criamos nossos relacionamentos na plenitude da psique liberada?

As palestras da parte final deste livro são dadas no contexto das significativas mudanças atualmente em curso na consciência humana. Essa mudança de consciência é real, e um enorme número de pessoas está sintonizado com ela no mundo todo. Ao ler estas palestras, entendemos as manifestações do relacionamento entre homem e mulher, da sexualidade e do casamento através da história como fases do desenvolvimento da consciência. É uma fascinante visão geral. O significado espiritual da história une passado, presente e futuro.

Como participamos, individualmente, como mulheres e como homens, da aventura do cosmos? Ao seguir esta orientação, nossa consciência se eleva passo a passo. Podemos vislumbrar o processo pessoal de purificação que nos leva à acentuada espiritualidade do Pathwork.

A mais elevada definição dada pelo Guia da pessoa totalmente realizada é aquela que alcançou a consciência de Cristo. Sua definição de "consciência de Cristo" ou de "ser cristianizado" vai muito além de qualquer conotação religiosa na antiga acepção. Cristo, na interpretação esotérica, como homem que também é Deus, representa a realização da finalidade da peregrinação humana: individualidade plena, total liberdade de escolha, incorporação do princípio criador divino, amor perfeito e compaixão infinita. De acordo com o Guia, embora a estrada seja longa, é possível, e até fatal para todos nós, atingir esse fim.

O ser perfeito, que todos somos em potencial, terá integrado todos os aspectos das energias masculinas e femininas não-distorcidas e, assim, já não é mais dividido. Se você reparou bem no rosto de Jesus na *Última Ceia* de Leonardo da Vinci, lembrará que ele é andrógino: a pessoa cristianizada tem força e suavidade. Num desenho de Frederick Franck, vi recentemente o rosto do Cristo ressuscitado, idêntico ao de Buda — nem masculino nem feminino, mas as duas coisas. É um quadro espantosamente tocante.

No entanto, enquanto o Guia nos ensina a buscar o definitivo, ele também abençoa a cada um de nós como somos agora, falhos e também belos, e nos encoraja a viver plenamente no presente, e no corpo. A satisfação e a felicidade são nossas, se quisermos, em todos os momentos da vida conscientemente vivida.

J. S.

CAPÍTULO 13

Fusão: o significado espiritual da sexualidade

Saudações e bênçãos para todos vocês.

Qualquer manifestação humana, seja natural, instintiva ou criada pelo homem, tem um profundo significado espiritual. Toda experiência humana é sempre o emblema de uma realidade mais ampla, mais profunda e mais completa. Esta palavra trata do significado espiritual da sexualidade. *Ao usar o termo "sexualidade" para denotar a força criadora total, explico como sua finalidade e seu significado espiritual se manifestam no plano humano.*

A manifestação da sexualidade varia de acordo com o desenvolvimento de cada ser humano. O princípio da sexualidade manifesta-se de forma diferente na pessoa totalmente realizada, na pessoa comum e naquelas que talvez ainda estejam em um nível tão baixo de desenvolvimento espiritual a ponto de estarem fortemente bloqueadas e divididas.

A força sexual é uma expressão da *consciência que busca a fusão*. E fusão, que vocês também podem chamar de integração, unificação ou unidade, é o propósito da criação. Seja qual for o termo usado, a meta final de todos os seres divididos é reunificar os aspectos individualizados e separados da consciência maior com o todo. Os aspectos divididos são integralmente ligados a uma grande força que motiva as pessoas a lutar pela unificação. A atração dessa força é irresistível: ela existe em todos os organismos — até nos inanimados, nos quais a inteligência e a percepção humanas ainda não são capazes de observá-la.

O poder da sexualidade, na sua forma mais ideal, é capaz de transmitir mais plenamente do que qualquer outra experiência humana o que são o contentamento espiritual, a unidade e a intemporalidade. *Na experiência sexual total, você rompe as fronteiras do tempo e da separação onde a mente limitada o aprisionou.* Tal experiência lembra a verdadeira existência no eterno.

A venturosa experiência da fusão e o senso de atemporalidade da união sexual dependem da unificação interior das pessoas envolvidas e, portanto, de suas atitudes em todos os níveis do seu ser. Se a experiência sexual é uma expressão dos níveis físico, emocional, mental e espiritual, e se esses níveis estão unidos um ao outro, sem nenhum conflito, as pessoas que expressam o próprio ser em todos esses níveis, de acordo com a lei espiritual, têm uma experiência sexual tão completa, satisfatória, rica, alegre, revigorante, constante, animadora e reminiscente da realidade espiritual como nenhuma outra experiência humana pode ser. Então, nessa experiência feliz de união total, a realização vai além da satisfação e do enriquecimento pessoais. Essas pessoas também estão cumprindo uma tarefa no universo. Pode parecer estranho, pois o cérebro humano está acostumado a equiparar tarefa e cumprimento com algo árduo, difícil ou até mesmo desagradável. Mas, na verdade, quanto mais completa a alegria, o prazer, o contentamento e o êxtase, mais força criativa as pessoas acrescentam ao reservatório universal. Cada uma dessas experiências é como uma nova estrela brilhando em algum ponto da criação, tornando-se mais uma tocha na escuridão do vazio cujo destino é encher-se de luz.

Fusão física, emocional, mental e espiritual

Qual é o significado da experiência sexual no plano físico? O que significa o impulso de se unir fisicamente ao outro? As respostas comuns, tais como a perpetuação da espécie ou a necessidade do prazer, são respostas parciais e um pouco superficiais. *Quando dois seres humanos se sentem mutuamente atraídos, podemos dizer que anseiam por conhecer um ao outro, por revelar-se um ao outro, por deixar-se conhecer, descobrir, e por encontrar o verdadeiro ser do outro.* Ao revelar-se a outro, o seu próprio ser é capaz de entrar na dimensão total do eu dessa pessoa, que também tem o mesmo objetivo. O desejo mútuo, energizado por uma força involuntária, cria um sentimento e uma ânsia de uma felicidade eletrizante.

Se houver atração no plano físico, sem a participação, pelo menos em algum grau, de outros níveis, a experiência que se segue é decepcionante. Não pode ser mais que uma representação infinitesimal e superficial daquilo que a alma realmente anseia — mas que é cega demais para entender e perseguir. A busca da união total com outra alma exige um processo de purificação e unificação, como o que é feito no Pathwork.

Como a consciência humana, limitada e cega, simplesmente tateia no escuro, muitas vezes a atração que se sente não é pela pessoa real, mas por uma imagem que a mente cria quanto ao que o parceiro deveria ser para atender a necessidades reais ou imaginárias. A pessoa real, neste caso, muitas vezes é totalmente ignorada ou teimosamente negada. A pessoa que deseja insiste em sua ilusão e fica irritada quando a realidade desmente a ilusão. Normalmente, o processo é recíproco — as duas partes buscam uma pessoa diferente, por assim dizer, e não sabem disso. O grau de satisfação sentido é um bom parâmetro do quanto você busca a pessoa real. A falta de contentamento indica a natureza ilusória da busca, revelando, ao contrário, a sobreposição de outra pessoa, como uma figura paterna, à pessoa real. Quando a atração é verdadeiramente genuína e está assentada numa base real e saudável, ela é sentida com relação àquela pessoa em especial, a quem você deseja se revelar da maneira mais íntima e real, e com a qual você quer ter a ligação mais próxima possível.

O anseio pela ligação próxima é eterno na alma humana, mas assume formas diferentes na criança e no adulto. Para uma criança, a proximidade é uma experiência completamente passiva: a criança absorve, recebe, consome alimento e afeto como um organismo simples e apenas receptor, ilustrando assim o princípio feminino universal. A mãe, nesse caso, é a doadora e, nessa condição, a mulher verdadeiramente feminina expressa o seu princípio masculino. Para o adulto, essa aproximação só pode ser consumada com êxito quando a experiência é recíproca — quando os dois participantes buscam, dão, sustentam, alimentam, recebem e tomam. Esse ritmo orgânico,

155

espontâneo e auto-regulador não pode ser determinado pela mente-ego. Ele é a expressão involuntária de um processo legítimo, tão exigente, intricado e significativo que é impossível transmiti-lo à limitada capacidade humana de compreensão.

Há obstáculos à verdadeira satisfação porque a criança que existe na personalidade adulta ainda busca a satisfação a seu próprio modo. Ela busca uma nutriz e não o outro muito específico, e visa um tipo de proximidade meramente receptiva e consumidora. Se se buscar a fusão com tais motivações, pode ser que ela nunca ocorra. Por conseguinte, a pessoa que deseja uma união assim imatura vive uma rotina de eterna frustração, que parece, então, justificar sua cautela, retraimento e negatividade. O movimento para a intimidade é dividido, gerando um contra-movimento que provoca um curto-circuito. O curto-circuito é sentido como bloqueio involuntário, inibição e indiferença.

No plano emocional, o movimento para a fusão precisa ser expresso numa troca de sentimentos. O que significa essa troca de sentimentos em termos adultos e realistas? A troca de sentimentos, ou o nível emocional da sexualidade, é determinado pelo amor no seu verdadeiro sentido, com todos os seus vários aspectos e manifestações. Vocês são muito liberais com o uso da palavra amor, mas com muita freqüência a palavra é dita sem significar coisa nenhuma ou, pior ainda, é usada como rótulo atrás do qual se escondem sentimentos muito diferentes, como necessidades do ego e metas negativas. Uma pessoa usa a outra da forma mais exploradora e chama isso de amor. Mas o que é a experiência ardente e viva que existe por trás do rótulo estereotipado? A experiência do amor é, em primeiro lugar, a tentativa de perceber a realidade múltipla do outro. *Esse intento exige que se ponha temporariamente de lado o ego, as necessidades, as expectativas e as preocupações pessoais, tornando-se vazio. Então, é possível deixar entrar o outro, para poder verdadeiramente perceber, experimentar e sentir todas as complexidades desse outro ser.* Poderia haver experiência mais fascinante?

Quem não tem interesse em manter uma imagem ilusória do que o outro deveria ser, ressentindo-se quando ele não corresponde à imagem, está aberto e suficientemente vazio para deixar entrar o que existe. Essa é uma das formas de expressar o amor. Sobre essa base sólida, é possível efetuar uma troca de sentimentos.

Quem percebe a realidade do outro fica suficientemente livre de qualquer voluntarismo, orgulho e medo para lidar com o que existe. Uma pessoa assim é capaz de lidar até com a dor e a frustração, se necessário, para atingir a realidade, que é o contentamento definitivo. A capacidade de suportar frustração e dor é essencial para dar e receber, e para sentir contentamento. Por outro lado, a pessoa que se sente muito ameaçada e se defende da dor — a dor de não ter as coisas à sua maneira, a dor de se magoar um pouco, a dor de precisar renunciar a uma vantagem imaginária ou até real — cria uma sólida barreira à volta da torrente de energia que flui do seu interior. Nada pode atravessar essa parede, nem para dentro nem para fora. A pessoa fica isolada na prisão que criou para se defender da dor e do desgosto. Fica embotada, incapaz de viver plenamente. Ela não consegue se fundir e, assim, não consegue sentir um prazer real.

O amor e, portanto, a capacidade de dar e de receber, depende da capacidade de perceber a realidade com uma visão límpida. Essa capacidade, por sua vez, depende da capacidade de suportar a dor sem se defender, sem interpretações que manipulem a dor. Essas interpretações visam apenas anular a dor; a postura de dar vazão à dor, ao contrário, cria condições para uma interpretação verdadeira dos fatos que lhe deram origem.

O aspecto do amor real a que me refiro como deixar o outro ser significa mais do que simplesmente aceitar onde está e quem é o outro num dado momento. *Significa ter uma visão total da pessoa, incluindo seu potencial ainda não realizado.* Essa visão do não-manifesto no outro é um grande ato de amor. Não tem nada que ver com a ilusão de inventar outro tipo de pessoa para satisfazer necessidades próprias. Se vocês conseguem dar à pessoa amada a liberdade de ela "ser quem é", pode haver confiança recíproca. Assim, vocês conquistam a liberdade de afirmar o seu direito de ser, sem provocações nem jogos negativos. A auto-afirmação positiva deriva do estado de ausência de culpa que decorre de uma atitude verdadeiramente generosa. Se vocês conseguem dizer "sim" à generosidade irrestrita, também podem dizer "não". Se vocês realmente dão, também podem afirmar seu direito de receber — e isto não deve ser confundido com exigências pueris e neuróticas.

A falta de generosidade torna esse intercâmbio impossível. Como na realidade dar e receber são uma coisa só, vocês não podem dar aos outros sem também dar a si mesmos. Inversamente, retraindo-se, vocês inevitavelmente retraem-se de si mesmos. Então, culpam o outro pela conseqüente carência, porque ainda estão apegados à ilusão de que dar e receber são dois atos separados. A fusão pela qual vocês anseiam só pode acontecer se todos os sentimentos que desejam receber, cada um dos aspectos do amor, estiverem fluindo de vocês com fartura. Esses aspectos do amor incluem ternura, calor, respeito e também reconhecimento da essência do outro e de sua capacidade de crescimento, mudança e bondade. Acrescentem a isso paciência e o benefício da dúvida. Considerem a possibilidade de interpretações alternativas. Confiem e dêem ao outro condições para se desenvolver e ser. Vocês também querem ardentemente ser o objeto desses aspectos do amor perfeito. A fusão só pode ocorrer no plano emocional quando vocês estão totalmente decididos a aprender a expandir a capacidade de dar esses componentes do amor perfeito.

Contudo, para se fundir emocionalmente — e, portanto, totalmente — é igualmente necessário falar com sinceridade, mesmo que isso possa não ser bem-vindo nem desejado. Agir de outra forma, sob o disfarce da chamada bondade amorosa, ou ficar em silêncio, é uma atitude sentimental, em geral desonesta. Pois, na realidade, o que acontece é que vocês têm medo das conseqüências desagradáveis e, por isso, não querem correr o risco de sentir dor, de se expor, de entrar em confronto e de fazer o grande esforço de reintegrar o relacionamento num nível mais elevado e mais profundo. Isso só pode ser feito saudavelmente e sem culpa pelas pessoas que já enfrentaram e eliminaram a própria crueldade. Enquanto existir crueldade no íntimo, vocês jamais serão capazes de dizer a verdade aos outros sem feri-los, porque a vontade secreta de ferir está de tal modo entranhada e exerce tanta influência sobre os atos e as palavras, que acaba com a coragem de falar francamente e de enfrentar uma situação que precisa ser melhorada.

Como, então, é possível reinstaurar e aumentar o fluxo do amor generoso? É possível alguém estar livre de crueldade e poder falar com franqueza de modo totalmente construtivo, e mesmo assim o outro ficar magoado — talvez porque insista em nunca ser criticado ou frustrado. Mas se vocês conseguirem lidar com a mágoa decorrente dessa reação, serão capazes de correr o risco e de lutar até o fim para que haja um intercâmbio aberto de sentimentos. Vocês verão que quanto mais agirem movidos pela intenção sincera de amar e de sentir com maior profundidade, tanto mais generoso será o resultado dessas situações nas quais vocês correm o risco de ofender o parceiro. Ao contrário, quando vocês "dizem a verdade" porque querem ferir, embora não o admitam, o resultado é desagradável. A culpa por essa motivação oculta é um escudo entre vocês e a verdade e entre vocês e o outro.

A satisfação e o contentamento por que a alma anseia só podem ser conseguidos pela fusão com outra consciência. Depende da sua capacidade de arriscar, de enfrentar, de admitir seus segredos mais guardados e, em conseqüência disso, falar com franqueza quando o outro coloca obstáculos no caminho. Vocês também precisam reconhecer a relutância em expressar seus melhores sentimentos quando a negatividade não-expressa e os jogos ocultos do parceiro tornam isso impossível. A afirmação positiva de que falo é totalmente diferente de fazer acusações, que significa atribuir a responsabilidade ao outro. O tipo certo de afirmação não acusa o outro, mas reconhece o que o outro faz. Quando deixam de acusar, vocês podem realmente falar com franqueza. Quando o reconhecimento da contribuição negativa do parceiro é resultado da clareza de visão que só se adquire com a auto-avaliação e a honestidade mais profunda, é possível correr o risco de ficar abatido pela dor passageira.

Para haver fusão emocional, é necessário que haja um intercâmbio honesto, correndo o risco de crises ocasionais. O intercâmbio honesto depende totalmente da honestidade de cada um e da vontade de deixar de lado padrões desonestos, prejudiciais e destrutivos. O fato de vocês estarem inibidos e com medo também inibe o alcance e a profundidade do contentamento que nasce da fusão. Nesse caso, é preciso perguntar qual a origem do medo nos dois parceiros. E como cada um é responsável por si mesmo, vocês devem perguntar qual a origem desse medo em vocês. Onde está a crueldade que gera o medo de dizer o que vocês vêem? Sob que aspecto vocês não conseguem se enxergar e, por isso, ficam cegos com relação ao outro, ou inseguros e na defesa em relação ao que conseguem perceber e, conseqüentemente, belicosos e hostis? Mais uma vez, só pode existir fusão emocional na medida em que esses critérios são satisfeitos.

A fusão mental existe no plano da mente consciente. A capacidade de trocar as idéias e pensamentos mais profundos e de correr o risco de discordar e desaprovar é fundamental. A fusão mental só pode existir quando existe algum tipo de compatibilidade. Dois parceiros compatíveis precisam compartilhar determinadas idéias fundamentais sobre a vida. Também precisam estar mais ou menos no mesmo plano de desenvolvimento espiritual. Isto não significa que seja preciso concordar a respeito de todos os pormenores. Isso é impossível, e certo grau de divergência é necessário: é uma conseqüência da diversidade dos seres humanos, que também contribui para o desenvolvimento de cada um.

Várias qualidades são necessárias para alcançar a fusão mental. Uma é a necessidade de aumentar a verdadeira compreensão do parceiro; outra é a humildade para investigar e, se necessário, descartar as idéias e opiniões que ambos possam ter. Também é preciso ser humilde para admitir que o outro tem razão. O próprio ato de procurar uma verdade mais profunda, relativa mesmo às menores questões, constitui um magnífico motor do crescimento e ajuda a aprofundar a união no plano mental. As atitudes que vocês assumem com relação às divergências e a forma de abordá-las são importantes. Vocês evitam o confronto de idéias simplesmente porque não se sentem bem com questionamentos? Vocês concordam "da boca para fora" em nome da paz porque, de qualquer forma, a questão é "sem importância"? Nem se incomodam em pensar a fundo sobre coisas que não lhe dizem respeito diretamente? Ou insistem em ter "razão" sempre? O desacordo é uma maneira de dar vazão aos sentimentos e pensamentos negativos acumulados, porque vocês não souberam lidar com eles construtivamente?

A liberdade de ter idéias diferentes só pode ser concedida quando os dois parceiros estão ancorados na verdade espiritual. Quando a realidade espiritual é a meta final, vocês também sabem que existe apenas uma verdade. Isto se aplica em toda a linha tanto às grandes questões vitais como às menores futilidades do cotidiano. Mas vocês também sabem que essa verdade única tem muitas facetas e que muitas vezes abrange dois opostos aparentes, que são partes do todo. Quem tem a verdade espiritual como meta final pode ser menos rígido em relação a opiniões, idéias e pensamentos. Nessas condições, é possível expor e trocar idéias. Para quem sempre visa buscar a verdade interior, a verdade espiritual, as pequenas divergências ou as opiniões diferentes desaparecem lentamente. A princípio, elas parecem não ter importância; depois, se integram ou se fundem na verdade do espírito que a tudo une.

É preciso não negligenciar o intercâmbio mental. Muitas vezes os relacionamentos são vistos como um intercâmbio sexual e, até certo ponto, emocional, mas o intercâmbio mental é estranhamente negligenciado num mundo que enfatiza e dá tanta importância ao intelecto, às idéias e à mente. No entanto, as pessoas vivem lado a lado todos os dias e se privam das alegrias da fusão mental. Deixam de expor seu ser mais íntimo, suas idéias, crenças, sonhos, aspirações, sentimentos, medos, metas, anseios, inseguranças e esperanças. O mundo da mente e das idéias é parte integrante da união total. É impossível alguém fundir-se a outro num plano, de forma realmente satisfatória, e manter-se separado em outros planos sem ficar em sintonia com o movimento natural para a fusão. Por exemplo, em muitos casos em que a frustração é atribuída à incompatibilidade sexual, esta pode não ser absolutamente o resultado da falta de atração física. Pode ser resultado da fusão insuficiente em qualquer dos outros níveis.

A fusão espiritual é sempre o resultado natural da fusão nos planos físico, emocional e mental. A existência de fusão nesses três níveis significa que as partes envolvidas precisam ser seres muito desenvolvidos espiritualmente, ativamente engajados ou envolvidos num caminho espiritual. Precisam estar suficientemente despertos para buscar, de forma consciente e deliberada, a verdade espiritual. Para haver fusão total, é preciso que a meta primordial seja atingir o eu espiritual. Portanto, é verdade que a satisfação e o contentamento que todos os seres almejam só é possível na medida que seu desenvolvimento espiritual já tenha avançado e continue a avançar. Esse estado é mantido na medida em que os parceiros estão em movimento e na medida em que a destrutividade tenha cedido lugar a atitudes e comportamentos construtivos, expansivos e positivos. É muito freqüente os seres humanos ficarem estagnados, sem intenção nenhuma de sair dessa situação. Nesse caso, eles ficam surpresos quando o anseio pela unidade continua insatisfeito, e põem a culpa nos outros, nas circunstâncias e na vida.

Todas a questões da vida devem, em última análise, ser relacionadas com o eu espiritual e com a realidade espiritual. As disputas só podem ser efetivamente solucionadas e conciliadas no eu espiritual, que é um só em todas as criaturas. Quando dois seres humanos se fundem, conscientes de que existe dentro deles um mundo espiritual onde podem descobrir sua unicidade, ocorre a união espiritual. O tremendo poder criativo da força sexual gerada através da união em todos os níveis tem vida própria, que se realimenta constantemente, nos aspectos positivos e negativos. Participando dessa vida, os parceiros que buscam a união colocam em movimento alguma coisa que adquire impulso próprio, como uma corrente que a personalidade humana precisa aprender a seguir.

A sexualidade reflete os problemas da alma

Tudo o que existe na psique humana aparece na experiência sexual. É impossível deixar seja o que for de fora. A forma real da experiência sexual, portanto, é um indicador infalível do estágio em que se encontra a psique. Ela revela em que a pessoa está liberada e unida à lei divina, onde estão o mal e a destruição, onde existe imobilidade e estagnação, porque a destrutividade foi escondida em vez de ser trabalhada. A corrente sexual magnetiza e energiza as facetas ocultas, determinando, assim, sua direção. Quando a direção é negativa e, portanto, envergonhadamente negada, o desenvolvimento da pessoa e a energia vital ficam prejudicados.

A poderosa energia criativa inerente à expressão sexual gera um estado em que se manifesta todas as atitudes de caráter e todos os aspectos da natureza mais oculta. Infelizmente, os seres humanos são cegos a este fato. Até a mais avançada psicologia se esquece de que a maneira como a sexualidade se manifesta — não necessariamente na ação, mas na inclinação — revela todo o caráter da pessoa, com todas as suas atitudes, sua personalidade e tendências, problemas e impurezas, bem como sua beleza já purificada. Toda essa informação é revelada e está acessível a quem quer que saiba como e onde procurá-la.

Com demasiada freqüência, fala-se levianamente sobre as atitudes sexuais, classificando-as como saudáveis ou neuróticas, certas ou erradas do ponto de vista moral. As pessoas também se recusam a reconhecer as pistas nelas contidas. Nesse caso, as pistas são consideradas à parte do restante da personalidade, como se essas inclinações fossem apenas uma questão de gosto, ou traços de nascença, como a cor dos olhos. Como é freqüente resolver as questões usando rótulos! Muitas vezes, a mensagem espiritual da realidade interior é totalmente desconsiderada, por mais clara e gritante que ela se mostre nas inclinações sexuais, cuja manifestação é permitida, negada ou reprimida. Se os defeitos de caráter deformam o impulso sexual, transformando-o em fantasias cruéis e destrutivas, concretizá-las é tão desnecessário como concretizar outros sentimentos destrutivos. O mesmo se aplica a qualquer sentimento assassino admitido no Trabalho do Caminho; não é preciso passar à prática para poder encarar, entender, aceitar e trabalhar esses sentimentos e reconhecer o seu significado interior.

Precisamente por ser a energia sexual tão forte é que todas as pequenas e aparentemente insignificantes atitudes que existem na personalidade humana reaparecem simbolicamente na expressão sexual. A forma de expressão sexual reflete os aspectos interiores de que a pessoa precisa muitíssimo se conscientizar. Meus amigos, para vocês é questão de aprender a usar esse conhecimento. Examinem a sexualidade sob outro prisma. O que ela revela sobre vocês, no tocante à natureza não-sexual, sobre a sua pessoa, atitudes e assim por diante? Que problemas de outras áreas a sexualidade traz à tona? Sob que aspecto e de que forma ela revela a natureza purificada?

Quando os parceiros não se fundem em algum dos quatro planos, isso se torna evidente na vida. Vamos dizer que a atração, as necessidades e o desejo sejam fortes no plano físico. Vamos supor que vocês já estejam prontos para se mostrarem nesse plano, onde buscam a fusão. Mas vamos supor também que no plano emocional e/ou mental o caso seja totalmente diferente. Ali, vocês querem continuar separados e não querem dar nem arriscar, nem integrar constantemente cada um dos níveis num plano ainda mais elevado. O nível físico, então, ficará seriamente limitado, como também a natureza do impulso sexual, de alguma forma, revelará as atitudes emocionais e mentais que vocês podem continuar escondendo. Talvez vocês não façam idéia de que essas atitudes reaparecem de forma sexualizada, impregnadas e magnetizadas pela energia do sexo.

Se não for permitida a entrada na consciência dos lados negativos da psique, a experiência sexual fica bloqueada, nivelada, insatisfatória, mecânica e, nos casos mais graves, até mesmo totalmente embotada. Se a negação for eliminada, a inclinação sexual pode revelar tendências como a de sentir prazer na crueldade. Há muitas variações e detalhes que não é possível generalizar. Por exemplo, se a culpa e a conseqüente autopunição forem negadas e reprimidas, elas podem aparecer como inclinação sexual para sofrer, ser humilhado ou rejeitado. Há inúmeras possibilidades e significados. Cada fantasia sexual precisa ser redespertada e consentida, para poder ser entendida. Esta é a única maneira de fazer fluir novamente a energia sexual entorpecida mesmo que a princípio signifique viver as fantasias, na mente ou em forma de jogo, num relacionamento íntimo e estável.

Muitas vezes, a expressão sexual que desvia é bastante consciente, aceita e prazerosa, até o ponto em que esses desvios podem proporcionar prazer. No entanto, a expressão sexual não é associada ao seu significado mais profundo — a pessoa simplesmente diz que "é assim que eu sou", e não quer renunciar a esse comportamento, convencida de que só dessa forma pode ter prazer. Essa convicção é totalmente errada; o prazer que poderia ser alcançado se a característica negativa fosse reconhecida é incomparavelmente superior, em intensidade e qualidade, e não é preciso renunciar a nada para usufruí-lo. Para mudar, é preciso, primeiro, fazer as ligações entre o traço negativo reconhecido e os aspectos não-sexuais do ser. A partir daí, desenvolve-se organicamente uma transformação natural no sentido da corrente sexual.

Vocês, que estão trabalhando nesse caminho há algum tempo, já depararam com alguns de seus aspectos negativos. Vocês podem imaginar que esses aspectos não se expressam na sexualidade? Vocês podem, por um momento que seja, supor que os aspectos negativos não se manifestam nas atitudes sexuais, e que portanto não influenciam a capacidade de se satisfazer, de se fundir, de sentir prazer? Acreditar nisso seria realmente muito tolo. Por isso, procurem os aspectos negativos específicos que provocam manifestações específicas em vocês. Esta poderá ser uma tarefa extremamente interessante, capaz de fornecer muitas respostas. Quanto mais específicos vocês conseguirem ser, mais reveladores e revitalizantes serão as suas descobertas e o autoconhecimento.

Todos vocês sabem que estabelecer ligações entre causa e efeito é um aspecto importante da auto-avaliação e do desenvolvimento pessoal. A maior dor e dissonância da personalidade humana é provocada pelo desligamento entre causa e efeito. Nada é mais doloroso do que sofrer um efeito cuja causa é ignorada.

Existe conflito entre espiritualidade e sexualidade?

Para a maioria dos seres humanos, ainda é inconcebível *combinar sexualidade e espiritualidade*. Uma mudança inexorável está muito próxima; os influxos espirituais de hoje já forjaram o início de uma nova era. Em épocas anteriores, a sexualidade era considerada a antítese da espiritualidade. Não se sabia que a verdadeira união espiritual é o resultado consumado da união em todos os planos do ser, incluindo o físico-sexual. Não se sabia que a integração total e a unidade alinham a sexualidade com a espiritualidade. A vida espiritual só é possível em conseqüência da total unificação em todos esses outros níveis, e certamente nunca em resultado de uma cisão. O verdadeiro significado da espiritualidade é a unidade e a integridade, o que quer dizer que ela precisa abranger tudo o que existe. Os relacionamentos satisfatórios, portanto, sempre refletem o grau de união interior de uma pessoa. Se você não conseguir juntar-se aos outros, existe desunião dentro de você.

A dificuldade que os seres humanos têm para juntar espiritualidade e sexualidade, mesmo no terreno conceitual, deve-se precisamente ao que expliquei anteriormente — ou seja, ao fato de que o mal oculto se manifesta na expressão sexual e através dela. É por isso que, durante séculos, os ensinamentos espirituais postularam que a sexualidade é um entrave ao desenvolvimento espiritual. Numa época histórica mais primitiva, esses postulados tinham razão de ser. Nessa época, não eram totalmente errados. O estado menos desenvolvido da humanidade primitiva fazia com que as pessoas manifestassem sua brutalidade e bestialidade através do sexo. Então, a conscientização e o influxo do espírito existiam em muito menor grau. Tudo era manifestado com impunidade e hipocrisia. Os mais fortes tinham direitos e não precisavam de desculpas. A capacidade de exercitar a contenção e a disciplina praticamente não existia. A capacidade de se solidarizar com os outros era extremamente débil e rara. Num mundo desses, a força de certos impulsos precisavam ser refreados para tornar possível qualquer influxo espiritual. Isso explica as longas eras em que foram usados exercícios espirituais para conter os instintos naturais. Por um lado, o desenvolvimento espiritual avançou, mas, por outro, refreou os impulsos naturais da humanidade, o que era temporariamente necessário.

Só agora a humanidade ingressa numa nova era espiritual de desenvolvimento e os seres humanos estão bastante fortes para encarar e purificar seus instintos ocultos, sem perigo de manifestá-los. No entanto, mesmo hoje dificilmente alguém conhece a tênue linha que divide, de um lado, a expressão segura, honesta e a admissão de materiais negativos, e, de outro, a manifestação destrutiva. Vocês, que estão neste caminho, são de fato pioneiros no aprendizado da importantíssima arte de fazer essa distinção. Só assim poderão unificar sua personalidade num todo, purificar todas as suas facetas e trazer à tona, com segurança, o impulso sexual, seja qual for a sua forma atual de manifestação. Questões do nosso tempo, como a disseminação da insensibilidade, a baixa vitalidade e a freqüência dos problemas sexuais são resultado do enclausuramento na força vital negativa, porque vocês não foram capazes de lidar com ela com segurança. Vocês estão aprendendo agora um novo e maravilhoso método de libertação dos instintos com a finalidade de purificar e reenergizar a vida.

Se a energia da força vital se concentrar no mal não-reconhecido e não-encarado, a energia em si causa medo e a insensibilidade é preferida como o mal menor. Essa insensibilidade também é dolorosa, e o desejo de sexo pode ficar intolerável, mas o eu interior ainda está muito confuso e com medo para encarar a verdade. O mal é negado, e a personalidade pode tentar forçar artificialmente o impulso sexual, com resultados muito insatisfatórios. A pessoa pode recorrer a estimulantes artificiais e, nesse caso, a sexualidade fica ainda mais distante do resto da personalidade.

As divisões entre os níveis provocam outros curtos-circuitos. Eles podem manifestar-se das seguintes formas: o nível emocional diz: "Não quero amar" — o que indica ódio negado. O nível mental pode dizer: "Eu tenho de amar; se não o fizer, serei mau e não terei prazer. Por isso, preciso me forçar a amar." Outro nível mental pode dizer simultaneamente: "Você é inútil; você é mau" — como desculpa e explicação para não amar. O nível físico-sexual pode dizer: "Quero possuir você para ter prazer." Nessas circunstâncias difíceis, a sexualidade é anulada ou funciona na forma de perversão — prazer em provocar dor, prazer em negar o eu e o outro. O sexo odioso, egoísta e cruel sempre gera culpa. Os sentimentos de culpa são então racionalizados e descartados como oriundos de uma atitude puritana, parcial e obscurantista. Mas a culpa persiste, apesar de toda a "iluminação".

As origens da culpa sexual

Qual a origem dessa culpa? Certamente, a pessoa sente culpa real por causa do ódio e da brutalidade ocultos que se manifestam disfarçadamente sob a forma sexual, quer esses sentimentos sejam admitidos ou não. Se o desejo de humilhar os outros, de ser egoísta, de explorar ou desconsiderar os outros não for examinado sem reservas, ele contamina o aspecto sagrado da sexualidade. E *a sexualidade efetivamente é sagrada.* Quando a sexualidade é posta a serviço do engrandecimento do ego e do desejo de poder, ela só pode gerar culpa — culpa que é "inexplicável" ou para a qual se inventam explicações envolvendo os antecedentes e as influências da infância de alguém.

Nada é tão perigoso como usar a poderosa energia espiritual de forma destrutiva e pervertida, seja na prática ou apenas em pensamento e intenção. Quando o assassinato e o ódio estão impregnados de sexualidade, esta se torna viciosa e contrária à espiritualidade. As pessoas manifestaram durante milênios os mais bestiais impulsos na sexualidade, dando origem à crença de que a própria sexualidade era bestial. Só agora é possível aos seres humanos considerar qualquer mal que se possa conceber, encará-lo e não agir com base nele. Atualmente, as pessoas estão bastante conscientes de quanto são corrompidas. Essa percepção nem sempre aflora, mas ela existe dentro da psique. Portanto, há relutância em ceder ao impulso sexual, pois ele pode trazer à tona o lado negativo, o mal, a destrutividade que se quer negar.

Se usarem esse procedimento no espírito do Trabalho do Caminho, vendo e admitindo a verdade, vocês ampliarão a visão que têm de si mesmos, farão novas ligações e se purificarão mais, e, além disso, ativarão o poder sexual, antes tão fugidio. Vocês libertarão a sexualidade, integrando-a simultaneamente ao eu espiritual — sem compulsão nem falta de senso de oportunidade, mas com naturalidade. Assim, libertarão a energia sexual do seu envolvimento negativo. Trabalhem nisso, meus amigos. Quanto mais o fizerem, menos bloqueados ficarão. Quanto mais espontâneo se tornar o movimento interior, mais revitalizante será a experiência da fusão e melhor será o funcionamento dos processos involuntários. *As mais secretas fantasias sexuais, quando examinadas à clara luz da verdade pelo que realmente são, representam a libertação.* Nenhuma verdade é impossível de ser admitida. Nenhuma verdade, desde que percebida com realismo, pode rebaixar o espírito e o verdadeiro eu. Assim, vocês adquirirão vida e sairão dessa insensibilidade. Ficarão livres do medo.

Antes de concluir esta palestra, eu gostaria de recapitular mais um ensinamento relacionado com este tópico, para fazer uma associação.

Os princípios masculino e feminino no universo se expressam em todos os atos da criação. Como eles se expressam entre dois parceiros e dentro deles? O princípio masculino expressa o movimento expansivo de alcançar, de dar, de agir, de iniciar, de afirmar. O princípio feminino expressa o movimento receptivo de tomar e de alimentar. Deturpado e negativo, o princípio masculino manifesta-se como agressão hostil; ele golpeia em vez de dar e alcançar. O princípio feminino, deturpado, em vez de receber amor e de nutrir com ele passa a agarrar, a capturar, a roubar, a apertar, a usar artimanhas, a prender sem soltar. Esses princípios se manifestam em todo ato vital. Ambos, em harmonia e distorcidos, existem nos homens e nas mulheres. Com um mínimo de observação, podem ser facilmente detectados. Eles se manifestam como movimento de alma, que podem ou não manifestar-se também como atos físicos.

Fusão total

Esses movimentos existem em absolutamente tudo o que foi ou pode ser criado. São manifestações integrantes da criação. Depois de determinar o modo pelo qual esses princípios se expressam em vocês, é fácil associar essas expressões aos níveis mental, emocional e físico. Permitam-se ter essa visão. A fusão satisfatória entre um homem e uma mulher só é possível na medida em que os dois princípios funcionam em harmonia nos dois parceiros, que assim se complementam no ato de fusão. Se não houver uma harmonia dos princípios masculino e feminino na própria psique, se houver distorção e desequilíbrio, isso se manifestará inexoravelmente na escolha do parceiro e na forma de conduzir o relacionamento.

A união harmoniosa evolui até a fusão total. A fusão total é a concretização do auge dos dois movimentos. O ponto de fusão, que vocês chamam de orgasmo, é a consumação da união de dois parceiros amorosos; a meta foi alcançada em espírito, na medida em que agora a fusão é possível para as entidades envolvidas — em qualquer ato criativo. Vocês só podem ter essa experiência criativa quando renunciarem ao lado negativo e às defesas egoístas e acolherem a espontaneidade e o movimento involuntário para a união, que emana do mais recôndito do seu ser. A experiência criativa continuará a ampliar-se até ocorrer a união total com o todo. A entidade, então, permanece no ponto de fusão, num gozo espiritual interminável. Mas, enquanto o universo não se completar, preenchendo o vazio com luz espiritual, o orgasmo na criação só pode ser temporário. Por conseguinte, os parceiros ficam novamente separados e continuam se esforçando cada vez mais, até que um seja tudo e tudo seja um, até que não exista mais escuridão, mas prevaleçam apenas a luz espiritual, a verdade e a beleza.

Se todos vocês pudessem saber, bem no íntimo, que têm em si um tesouro inesgotável de segurança, de amor e de luz! O único obstáculo é o pensamento, a falta de conhecimento, a falta de vontade de sentir, de saber, de considerar essa verdade. Usem essa verdade.

Deixo com vocês um fluxo dourado de energia. Que vocês sejam abençoados na verdade da vida, que está acessível em todas as ocasiões, na verdade do amor, no amor da verdade e na paz da realidade espiritual.

CAPÍTULO 14

A nova mulher e o novo homem

Saudações, caríssimos e amados amigos! Bênçãos para todos os que aqui estão. Esta noite, falarei sobre a evolução da consciência no que diz respeito à mulher e ao relacionamento homem-mulher. Não se pode discutir esse tema sem se observar o desenvolvimento da relação entre os sexos.

O planeta amadurece, e amadurecem também os homens e as mulheres. O que isso significa de fato? *Como evoluíram os homens e as mulheres, e para onde vão?* Qual é a realização final das mulheres — e dos homens? As mulheres estão conquistando sua maioridade nesta fase histórica; estão saindo de sua prisão.

Visão geral histórica

Na aurora da história, as pessoas desconfiavam de tudo o que fosse ou parecesse diferente, estranho, de fora. A desconfiança em relação ao sexo oposto também era muito forte. Os homens tinham uma desconfiança inata em relação às mulheres, e vice-versa. Cada um parecia ter razão em desconfiar, por causa da atitude desconfiada do outro. Como o homem era fisicamente mais forte, e como a única expressão dos humanos primitivos era física, o homem também se revestiu de uma aura geral de superioridade em relação aos mais fracos.

A desconfiança mútua e o domínio físico do homem manifestavam-se muito abertamente nos períodos primitivos da humanidade. Desde então, esses traços e atitudes permaneceram gravados na consciência das mulheres e dos homens, embora em menor grau. Atualmente, eles podem ter sido suplantados por uma percepção mais realista e mais amadurecida; não precisam se manifestar da mesma forma, mas permanece na psique um canto escuro que precisa ser trazido à consciência e mudado.

Olhando para trás na história, pode-se ver que a espécie, como um todo, fez o que fazem tantas pessoas: conservou uma atitude muito depois de ela já não ter mais sentido. Os homens conservaram a superioridade muito depois de a força física ter deixado de ser um valor primordial. Outros valores que se aplicam igualmente aos dois sexos surgiram com o avanço do desenvolvimento. Contudo, os homens — e também, com freqüência, as mulheres — continuavam a considerar o homem superior e a mulher inferior, e mesmo intelectual e moralmente mais fraca que o homem. Mas vocês sabem de tudo isso.

À medida que o homem foi deixando de lado seus sentimentos de inferioridade e de fragilidade, fingindo que eles eram inexistentes, ele assumiu uma postura de arrogância e de superioridade com relação aos fisicamente mais fracos. Precisava de escravos para se convencer de seu próprio valor. Isto se aplica aos animais, a povos subjugados em guerras, e também às mulheres. A mulher assumiu uma postura mental e emocional de dependência e, dessa forma, participou ativamente de sua escravização.

O homem temia os fisicamente mais fortes. Quanto mais os temia, maior se tornava o impulso de subjugar os mais fracos. Esse traço humano na pessoa não-esclarecida, que vocês conhecem muito bem nos seus processos interiores, é a compensação. Ela ainda existe na consciência humana. A mulher também não está livre desse traço. Ao sondar profundamente a própria consciência, vocês encontrarão atitudes semelhantes.

Por que a mulher foi subjugada e teve negado o seu direito natural à auto-expressão, à igualdade mental, emocional e espiritual em relação ao homem, tanto tempo depois que a força física deixou de ser o principal valor de uma pessoa? As mulheres não poderiam ser apenas vítimas do desejo egoísta do homem de se sentir superior e mais forte, de possuí-la como a um objeto. Qual foi a contribuição dela para essa situação?

Vocês, meus amigos nesta caminhada, já não consideram difícil determinar sob que aspectos não querem ser responsáveis por si mesmos, ou querem ficar aos cuidados de uma figura de autoridade mais forte. De forma semelhante, nos antigos relacionamentos entre homem e mulher, a mulher se colocou no lugar de vítima ao negar sua responsabilidade sobre si mesma; ela preferiu a linha de menor resistência, para poder ficar sob os cuidados de alguém. Ela queria que uma figura de autoridade tomasse decisões em seu lugar e lutasse contra as dificuldades da vida. Ela queria entregar-se ao falso conforto da dependência.

O resultado foi decepcionante; foi um estilo de vida insatisfatório. Todos os equívocos, mais cedo ou mais tarde, têm esse destino. Mas a mulher ainda se abstém de assumir sua quota de responsabilidade. Ela ainda põe toda a culpa no homem.

O movimento da nova mulher contém uma boa dose de verdade mas é, como todas as abordagens dualistas, uma meia-verdade. A verdade completa é que a mulher, de fato, possui as mesmas faculdades de inteligência, de engenhosidade, de força psíquica e de auto-expressão produtiva que o homem. Alegar o contrário não faz sentido e se tornou um jogo da parte dos homens, que não querem encarar seus sentimentos de fraqueza e inferioridade e, assim, precisam sentir-se superiores às mulheres.

Também é verdade que a mulher, para dar sentido real ao movimento feminista, precisa verificar, dentro de si, a faceta que atraiu a escravização. Eu me arriscaria a dizer que, quanto mais forte a rebelião e a acusação ao sexo oposto, mais forte também deve ser, dentro da alma de cada mulher, o desejo, não de administrar a própria vida, de ser responsável, mas sim de se apoiar em alguém. Na medida em que ela faz exigências injustas e irrealizáveis, ela se ressente, culpa a autoridade masculina e faz o jogo da vítima.

De forma semelhante, na medida em que o homem não encara seus medos, culpas e fraquezas, ele joga um jogo de poder, de uma forma ou de outra, e depois reclama que a mulher o explora e sobrecarrega. A alma imatura de ambos quer as vantagens sem pagar o preço correspondente: o homem quer a posição de superioridade, mas não ao preço de ter de cuidar de uma parasita. A mulher quer a vantagem de ter alguém que cuide dela, mas não ao preço de ter de perder sua autonomia. Ambos jogam o mesmo jogo, mas hesitam em ver como os dois criaram essa distorção.

O que há por trás dos estereótipos?

Num nível ainda mais profundo de consciência está o oposto do comportamento manifesto. O homem também recua diante da responsabilidade da idade adulta e inveja a posição socialmente aceita da mulher. Ele compensa, exagerando na ênfase ao jogo do poder. A mulher esconde a parte dela que também deseja ser agressiva, poderosa e forte — não apenas no sentido real, mas também no sentido deturpado. Ela inveja a posição superior do homem. Nos tempos antigos, esse lado precisava ser totalmente reprimido. Era socialmente inaceitável, assim como os desejos secretos do homem. Só recentemente é que essa faceta emergiu, embora continue sendo, muitas vezes, confundida com a autêntica individualidade.

Tanto os homens como as mulheres precisam encontrar uma saída para essa confusão dualista. Como podem ambos ter satisfação emocional e ser adultos autônomos?

Quando os movimentos, as orientações e as filosofias não levam em conta o quadro como um todo, mas apenas a metade, é impossível reequilibrar a balança. Mesmo que no decorrer da evolução o pêndulo deva oscilar de um extremo a outro, uma compreensão mais profunda pode ajudar a evitar os excessos.

Vocês já sabem que o dualismo se opõe à consciência da união. Na dualidade o homem se sente superior e acredita que a mulher é inferior. Conseqüentemente, ele a explora, mas também se sente explorado por ela. Num relacionamento assim, a satisfação é impossível. A mulher sente que está sendo injustamente explorada pelo homem fisicamente mais forte, e acusa-o de vitimizá-la. Ambos deixam de ver o outro lado, onde são de fato muito semelhantes e onde, de forma distorcida, se complementam.

Os dois princípios, o masculino e o feminino, precisam estar representados na pessoa saudável. Podem não ser expressos exatamente da mesma forma no homem e na mulher, pois as diferenças formam um todo complementar. Mas as diferenças não são qualitativas; é preciso que nunca levem ao julgamento de que um é melhor ou mais desenvolvido que o outro.

A mulher totalmente autônoma

Eu gostaria de traçar um retrato da mulher na idade da consciência expandida e de aplicá-lo ao relacionamento entre os sexos. A nova mulher é completamente responsável por si e, portanto, livre. Ela é independente, tanto no sentido material como no intelectual, no mental e no emocional. Com isso, quero dizer especificamente que ela sabe que nenhum homem pode dar-lhe felicidade e a sensação de harmonia se ela mesma não for capaz de gerá-las, por meio do amor e da integridade, por meio da abertura do coração ao amor e da mente à verdade interior. A nova mulher sabe que amar um homem e entregar-se a seus sentimentos por ele aumenta a sua força. Para a nova mulher, não há conflito entre ser um membro produtivo, criativo e participante da sociedade e uma parceira no amor. Com efeito, o amor real não é possível para quem se escraviza a fim de evitar a responsabilidade. A velha lenda de que a carreira torna a mulher menos mulher, menos sensível, menos amorosa, menos capaz de ser uma boa parceira é totalmente incorreta.

O novo estado de coisas exige força e autonomia, que é preciso conquistar. É preciso conquistá-las, arcando com o peso da realidade, com tudo o que isso acarreta, mas não com espírito de ódio, rebeldia, competição, provocação, não imitando os piores excessos e distorções dos homens, a agressividade negativa e os jogos de poder. Essa conquista deve ser feita pelo poder da verdade e do amor, pelo Eu superior. Sempre que algo real é negado por ser erroneamente concebido como difícil demais é preciso, em primeiro lugar, aceitar essas dificuldades. No fim das contas, elas não se mostrarão tão difíceis assim. A responsabilidade por si mesmo parece trabalhosa, mas não é, desde que se aceite a aparente provação, pois essa aceitação significa uma maneira honesta de abordar a vida.

Quando ainda há deturpação, a mulher continua querendo do homem aquilo que ela se recusa a dar a si mesma. Não é o caso da nova mulher. Não quer dizer que duas pessoas que vivam juntas não partilhem também, naturalmente, suas dificuldades. Não é disso que estou falando. Vocês sabem perfeitamente bem, por causa do Trabalho do Caminho, que, no fundo, querem que uma figura paterna superior se transforme em parceiro. Também sabem como esse desejo implícito está condenado a destruir qualquer relacionamento. Ele faz com que vocês se ofendam com isso e temam a autoridade que desejam explorar. O amor só pode florescer num clima de verdadeira igualdade, em que não exista medo e, portanto, nem defesa nem acusação. Contrariamente à lenda de que a feminilidade só floresce quando a mulher é uma serva do homem, na verdade, os sentimentos só florescem quando a mulher é livre, autônoma e independente no melhor sentido da palavra. A satisfação depende totalmente da verdadeira condição de igualdade. No momento em que um se sente superior ao outro, o respeito diminui e os sentimentos estancam. No momento em que um se sente inferior ao outro, os corolários inevitáveis são o ressentimento, o medo e a inveja, o que também fecha o coração.

A nova mulher não é nem escrava do homem nem sua concorrente. Portanto, ela pode amar, e seu amor não diminui, pelo contrário, aumenta a auto-expressão criativa, exatamente como a sua contribuição criativa à vida intensifica a sua capacidade de amar. Esta é a nova mulher.

O homem totalmente autônomo

O homem, na era da consciência expandida, já não precisa de uma parceira mais fraca como forma de negar a sua fragilidade. Ele enfrenta e encara a sua fragilidade, e assim conquista força real. Ele percebe que sua fraqueza sempre tem origem na culpa, e a auto-rejeição é sempre a negação da integridade do Eu superior, de uma forma ou de outra. Portanto, já não existe nele a necessidade de ter um escravo. O homem, então, não se sente ameaçado por um igual. Não exige um parceiro inferior para se convencer de que é aceitável o que, naturalmente, de qualquer forma seria uma ilusão. Depois de encarar a própria fraqueza, é preciso que ele conquiste a sua verdadeira força. Portanto, seu relacionamento com a mulher é realmente igualitário; ele não se sente ameaçado por uma pessoa tão criativa, tão adequada, tão forte moralmente, tão inteligente como ele mesmo. Não precisa bancar o patrão. Isso permite que ele abra o coração e sinta uma satisfação antes impossível.

Qualquer círculo vicioso que antes o confinava transforma-se agora num círculo benigno. Em vez de sentimentos de inferioridade oprimindo o coração, gerando ressentimento, ódio e, portanto, frustração e acusação ao outro sexo, o círculo benigno abre o coração. O homem e a mulher plenamente autônomos, responsáveis e realizadores, nada têm a temer, invejar nem ressentir no outro sexo. Podem, portanto, abrir todos os canais dos sentimentos e sentir a satisfação e o senso de gratidão pelo parceiro. Assim, dois iguais podem ajudar-se reciprocamente a se desenvolverem como pessoas, como homem e mulher. Esse é o novo homem, essa é a nova mulher, esse é o novo relacionamento.

Quando isso não existe, o simples fato de vocês serem capazes de identificar as falácias, as expectativas distorcidas, as metas ilusórias e os sentimentos negativos no seu íntimo, e poderem reconhecer sua participação na manutenção do estado de guerra interior, tem como conseqüência uma postura totalmente diferente com relação à auto-avaliação e à avaliação do outro. Assim, o novo homem e a nova mulher não são necessariamente indivíduos perfeitos e totalmente desenvolvidos. Em vez disso, são pessoas que buscam as razões da falta de satisfação, em si mesmos e no outro. Podem, assim, reconhecer a reciprocidade negativa que precisa ser trabalhada em conjunto. O novo homem e a nova mulher não aumentam o fosso que os separa com acusações hipócritas entre o eu e o outro, entre o eu e a verdade.

A autonomia, um processo de contínuo desenvolvimento, elimina a desconfiança. A desconfiança que ainda existe entre os sexos é um resíduo de tempos antigos. Na era em que estamos ingressando, as diferenças já não induzirão ao medo. Quando se confia no universo, a diferença sempre tem um apelo especial. Quando a diferença atrai, em vez de assustar, as pessoas se realizam e dissolvem os bloqueios da inverdade. Assim, vocês concretizam o seu mais elevado potencial. Procurem usar esse reconhecimento como parâmetro da intenção de permanecer na inverdade e sofrer, ou não.

No momento atual, a consciência da humanidade engloba todos os estágios do desenvolvimento do relacionamento entre homem e mulher.

Vocês, pessoalmente, podem aderir conscientemente aos mais elevados ideais. Mas em níveis mais profundos, as reações emocionais podem não estar totalmente de acordo com as idéias sustentadas conscientemente. É importante verificar onde e como existem desvios. Pois essa é a única maneira de se proteger contra o desequilíbrio interno — e, conseqüentemente, contra a desarmonia externa.

Naturalmente, há uma resposta para tudo, e essa resposta é o amor. Sem amor, nada pode ser colado, nada pode ser unificado, nenhuma verdade pode ser alcançada. No entanto, é igualmente certo que o amor não pode ser alcançado sem a verdade. Num canto no fundo do coração ainda persistem o medo e o ódio, o ressentimento e a desconfiança do sexo oposto. E, mais importante ainda do que isso, persiste a vontade de permanecer nesse estado, a intenção de continuar a esconder esses sentimentos, de impedir o florescimento do coração e da mente dos homens e das mulheres. Na medida em que vocês se apegam ao velho estado, ainda não conquistaram o próprio eu e ainda não são capazes de se relacionar bem com o outro sexo e de se realizar. A busca da satisfação com a velha atitude inalterada é totalmente fútil.

Assim, digo a vocês, caríssimos amigos: procurem encontrar esse cantinho no coração, esse pequeno nicho oculto onde vocês odeiam o sexo oposto. A defesa contra esse reconhecimento pode vir na forma de acusação, de culpa, de ressentimento, de limitação aparentemente justificada do coração. A mulher faz o jogo da vítima; o homem acusa e faz o jogo da superioridade. Ele acusa a mulher de explorá-lo e de usá-lo, e se sente superior com relação à faceta que torna a mulher fraca. Por uns tempos, o pêndulo oscilou para o extremo oposto. A mulher tornou-se agressiva e, muitas vezes, esqueceu o próprio coração, seu amor pelo homem, rejeitando o amor. No contramovimento do pêndulo, o homem deixou para trás a agressividade positiva e expressou uma fraqueza que ele jamais revelaria em eras anteriores.

A era atual é de mudança

Todos os movimentos do pêndulo têm uma finalidade: encontrar seu verdadeiro centro. O homem, agora, descobrirá sua verdadeira força. Ele precisou abandonar a falsa força, a falsa superioridade. Precisou tornar-se

177

temporariamente fraco, mas agora está assumindo uma nova força, pois é capaz de encarar a própria fraqueza. É assim que ele expande os reais valores e o real poder que tem. Portanto, ele já não precisa ser o membro superior da equipe. Pode relacionar-se com o coração, no plano dos sentimentos, com sua parceira. Pode, igualmente, relacionar-se intelectualmente em termos de igualdade. Este é o novo homem.

Portanto, caríssimos amigos, vocês precisam sondar aquela sua faceta que não quer perdoar, entender a verdade, insistir em seus argumentos e continuar odiando. Vocês precisam livrar-se do ódio pelo sexo oposto. Precisam orar pela capacidade de amar, de perdoar, de entender, e ver que o objeto de seu ódio, medo ou desconfiança existe em vocês da mesma forma que no outro, embora talvez a manifestação seja diferente.

A mulher, tanto quanto o homem, representa o princípio ativo. O homem, tanto quanto a mulher, representa o princípio receptivo. Ao se aproximarem na união sexual, isto nem sempre pode se exteriorizar da mesma forma, mas as forças interiores precisam combinar os princípios ativo e receptivo; caso contrário, haverá desequilíbrio. Nenhum homem de verdade pode ser homem sem incorporar o princípio receptivo, ou feminino. Se ele expressar apenas o princípio masculino, passa a ser uma caricatura de homem. Nesse caso, é valentão, tirânico, exagerado, falso. Do mesmo modo, a mulher que expressa apenas o princípio receptivo é uma caricatura de mulher e, na verdade, não passa de um bebê que se apóia nos outros, que nega a própria autonomia. Assim, para ser plenamente receptiva no plano dos sentimentos, a mulher precisa expressar o princípio ativo tanto quanto o homem.

Os dois princípios devem estar representados em ambos e precisam se complementar, embora às vezes também sejam paralelos. Esse equilíbrio perfeito não é fruto de uma decisão intelectual. Ele só pode ser encontrado organicamente por meio do ato interior do amor, do ato interior de libertar o sexo oposto das cadeias do ódio, da desconfiança, da acusação. Quando essa libertação é enunciada na meditação diária, quando a graça de Deus consegue agir dentro da consciência da mulher e do homem, então o amor leva à verdade, assim como a verdade leva ao amor. As pessoas dos dois sexos atuarão como seres humanos igualmente produtivos no novo universo, complementando e ajudando um ao outro, amando e respeitando um ao outro, e gerando contentamento e um novo mundo para o outro, lado a lado. É assim que a vida deve ser.

Carreira e parceria

Talvez vocês tenham notado um padrão nesse caminho, meus amigos: uma pessoa precisa primeiro solucionar problemas profissionais para depois solucionar problemas de parceria. No contexto desta palestra, isso fica muito claro. Quando os relacionamentos são formados para manifestar dependência, parasitismo, exploração do outro e/ou necessidade de dominar e escravizar, então, durante algum tempo, essas pessoas têm de se defender sozinhas até conseguirem um mínimo de autonomia e independência. Depois de aberto o canal criativo, a nova liberdade pode liberar energias antes presas, e as pessoas podem começar a se relacionar com o sexo oposto de modo inteiramente novo.

Fiquei muito feliz em fazer esta palestra, pois tudo o que leva ao maior desenvolvimento da pessoa como um todo — homem e mulher — é uma experiência prazerosa para nós, no nosso mundo. Vejam a beleza da consciência de Cristo que alcança todos vocês. Fiquem em paz, fiquem com Deus.

CAPÍTULO 15

O novo casamento

Abençôo a vida de vocês, todos os seus pensamentos, esforços e atividades, meus amados amigos.

As forças espirituais do universo são tão fortes que a personalidade impura não pode suportá-las. Na medida em que existem na mente e na consciência de alguém negatividade e distorção, essas poderosas correntes se manifestam como crise, dor e perigo. Contudo, ser receptivo ao influxo divino da consciência de Cristo e fazer parte dele é o anseio profundo de todas as almas.

O desenvolvimento da instituição do casamento tem grande importância encarado desse ponto de vista. É preciso avançar mais, agora que vocês são capazes de ampliar e aprofundar a compreensão do casamento e usar esse conhecimento para expressar esse anseio. Este é sempre o primeiro passo para concretizar o que vocês desejam.

O casamento através das eras

Vamos considerar a evolução do casamento até hoje e abrir a visão para o futuro, para vocês visualizarem a atitude atual em relação a essa instituição tendo em mente o quadro maior. A história só pode ser devidamente entendida quando se vislumbra o significado espiritual subjacente aos eventos terrenos.

Num passado não muito distante, o casamento atendia a várias finalidades, das quais as menos importantes eram compartilhar, amar ou ter reciprocidade em todos os planos da personalidade. Com efeito, o amor, a entrega sexual recíproca e o profundo intercâmbio de níveis dinâmicos de energia eram rejeitados e condenados. O casamento devia ser um contrato financeiro e social para satisfazer outras funções da personalidade e motivações inferiores. As vantagens financeiras e sociais eram primordiais. Mais significativa ainda era a convicção plena de que essas motivações eram moralmente corretas e virtuosas. Os homens casavam com mulheres que tinham um bom dote e que elevavam sua imagem social. Em outras palavras, a cobiça e o orgulho eram apresentados sob uma luz mais favorável e considerados justos.

Os homens se consideravam superiores às mulheres. Desposar uma mulher significava nada mais do que adquirir uma escrava que obedecia ao dono da casa, que cercava o homem de todo o conforto e comodidade, sem exigir nada para si. Em troca desses serviços, que incluíam ser objeto da luxúria em grande parte impessoal do homem, a mulher recebia segurança material. Sua única responsabilidade era ser um objeto adequado ao seu senhor. Naturalmente, meus amigos, vocês entendem que a responsabilidade do homem ia muito além da simples responsabilidade financeira. Como a mulher não era considerada um igual, moralmente ela era muito pouco responsável. Naqueles séculos, a responsabilidade emocional e mental não existia como conceito, mas sem dúvida existia de fato. Mesmo sem a percepção do conceito, os homens admitiam essa responsabilidade com relação a outros homens, mas a negligenciavam totalmente ao lidar com mulheres.

Evidentemente, isto não era apenas conseqüência da distorção e negatividade do homem; era igualmente resultado de uma intencionalidade firmemente enraizada na psique da mulher. As mulheres recusavam a responsabilidade por si mesmas em todos os níveis, pelo maior tempo possível, e assim eram co-criadoras do relacionamento desigual entre os sexos.

O medo do poder da corrente unificada

Os dois sexos tinham medo — e ainda têm — das poderosas energias espirituais envolvidas nas forças do amor, de Eros e da sexualidade entre homem e mulher. Esse poder cósmico é a própria corrente criativa da qual tudo é feito. Essa poderosa corrente pode expressar-se de muitas formas, não apenas como uma força de união entre homem e mulher. Pode expressar-se através das disciplinas espirituais, fundindo os princípios masculino e feminino e as correntes de poder na alma de cada um.

A alma não purificada não consegue suportar essa corrente de poder. Na medida em que a substância da alma impura fermenta na personalidade, a corrente de poder precisa ser negada, reprimida e cindida. A sexualidade que se manifesta sem amor, compromisso e respeito é exatamente essa corrente negada e cindida. Os seres humanos que acreditam que o sexo pornográfico ou promíscuo é mais prazeroso do que a sexualidade que deriva do todo unificado e combina amor e união espiritual, não poderiam estar mais errados. A verdade é exatamente o contrário. Mas o poder dessa sexualidade é tão forte que não pode ser suportado pela alma que ainda vive parcialmente na escuridão.

Outro erro humano é acreditar que pessoas casadas e fiéis estão necessariamente além do estágio da sexualidade dividida. O casamento típico dos tempos antigos, que descrevi, era uma completa supressão, repressão e negação das correntes espirituais de poder. *No homem, a negação muitas vezes ainda se manifesta como incapacidade de ter fortes sentimentos sexuais pela mulher que ele ama,* honra e respeita. Às vezes, o medo inconsciente da corrente de poder é tão forte que a cisão é total, e o homem se vê incapacitado de ter desejo sexual pela mulher amada. Em muitos casos, no entanto, existe uma cisão em relação a uma só mulher. Um homem pode honrar e amar relativamente a mulher que desposou e, no entanto, apagar a realidade dela durante o ato sexual. Isso só pode acontecer quando a mulher se torna um objeto inferior na mente do homem. O sexo total pode ocorrer no contexto do casamento respeitável e é plenamente aceito pela sociedade.

Para a mulher, a negação da corrente unificada de poder muitas vezes se manifesta pela total negação da realidade sexual do seu corpo. Sempre que a sexualidade dela se manifesta, apesar de todas as tentativas em contrário, ela é acompanhada de culpa e vergonha.

Atualmente, os equívocos sobre culpa e repressão sexual, no mundo de vocês, são quase tão grandes quanto sempre foram. As repressões e negações, as culpas e falsas vergonhas não são simplesmente o resultado de costumes sociais e influências da mentalidade intolerante, mas na verdade são produtos da incapacidade de transportar a força da corrente de poder totalmente unificado, cuja intensidade só pode ser suportada por alguém no mínimo relativamente liberto de negativismo, medo, dúvida e destrutividade.

A pessoa fortemente sexual que sente sua sexualidade sem amor, sem uma profunda fusão pessoal com o outro especificamente escolhido, e que promiscuamente prefere parceiros ocasionais, sem nenhum envolvimento, em essência não é absolutamente diferente do moralista fiel à esposa com quem copula sub-repticiamente, por dever conjugal. Ambos temem a corrente amor-sexo que se unifica pelo poder de Eros, pelo poder da reciprocidade do desenvolvimento da alma, e pelo compromisso entre os parceiros mediante a purificação pessoal.

Rumo ao êxtase místico

O relacionamento homem-mulher do passado e a atitude em relação ao casamento são resultados diretos do medo da corrente unificada amor-sexo. A autopurificação praticamente não existia para a pessoa comum, sendo praticada, com algum grau de importância, apenas em igrejas. Mas aqui também o pleno poder da corrente foi diminuído pelo edito do celibato. É certo que algumas pessoas particularmente dotadas e avançadas invocavam esse poder espiritual pelos seus próprios meios. *O êxtase místico é simplesmente a liberação da corrente de poder espiritual na qual Deus é sentido como uma realidade viva e física.* Isto também pode acontecer, em termos ideais, através da fusão de um homem e de uma mulher suficientemente livres de medo, que sigam juntos o caminho da autopurificação. A união deles libera a corrente interna de poder, de modo que eles sentem Deus em si mesmos e no outro.

Antes de levar mais adiante a análise dessa experiência, vamos voltar aos estágios evolutivos da história. O quadro que pintei do casamento não é muito atraente. O casamento, como existiu por tanto tempo, era uma condição mais pecaminosa do que todos os pecados que os moralistas, que perpetuaram essas normas, condenavam. Esses moralistas dirigiam a acusação de pecado para o sexo ilícito, para o sexo promíscuo ou pornográfico, que poderia ser identificado externamente. É certo que esses atos realmente indicam a negação da unificação, concedida por Deus, do amor e da sexualidade, da maior corrente de poder, que em si é uma expressão da presença divina.

Em determinado sentido, o medo e a negação são sintomas da alma impura — o espírito decaído, se quiserem. Mas como vocês todos também cumprem uma tarefa no retorno ao estado de união com Deus, é fútil fazer um discurso contra isso. Os que o fazem são espíritos decaídos, almas impuras, e partes desse mesmo movimento evolutivo. A atitude adequada em relação ao medo da corrente de poder total é a aceitação; é preciso um treinamento delicado para que a personalidade aos poucos possa aclimatar-se a essa força de alta potência e suportá-la confortavelmente. O êxtase acontecerá quando a alma crescer em estatura. Isso acontece mediante um processo de desenvolvimento ao longo de muitas encarnações.

O verdadeiro caráter pecaminoso da atitude com relação ao casamento, que predominou até recentemente, é conseqüência da culpa secundária. Em vez de admitir o medo de amar um igual, o homem precisava rebaixar a mulher. Em vez de admitir o medo de amar um igual e sentir o prazer da sexualidade, a mulher afastou-se do homem, fazendo dele um inimigo. Em vez de admitir que temia o relacionamento igualitário, o homem precisou transformar a mulher em objeto. Em vez de admitir a responsabilidade por si mesma em todos os níveis, a mulher fez de si um objeto e acusou o homem por essa criação dos dois. Ambos os sexos negaram o medo, o que, num sentido mais profundo, poderia ser chamado de culpa primária, uma culpa comum a todas as pessoas.

A negação do medo provocou culpas secundárias. Algumas delas deram força à energia do eu inferior. A cobiça material foi estimulada; dinheiro, poder e privilégio social tornaram-se o motivo da escolha de parceiros. As idéias em voga, as aparências, idealizadas imagens de si mesmo foram alimentadas; o orgulho e a vaidade foram elevados à categoria de falsos valores morais. Se vocês considerarem a indignação moral, a hipocrisia moral de homens e mulheres em relação aos que se desviaram das normas aceitas, poderão entender a força da culpa secundária. O eu mascarado reivindicava a cobiça, o interesse calculista, a valorização da vaidade das aparências e o uso de um pelo outro como os mais elevados padrões morais. Essas reivindicações vão muito além da hipocrisia comum. Uma hipocrisia tão arraigada e tão perniciosa precisava ser erradicada com firmeza; caso contrário, a alma não poderia curar-se. É importante, meus amigos, que vocês vejam a natureza da atitude em relação ao casamento durante tantos séculos. O casamento por amor era uma grande exceção.

O estado coletivo de consciência criou essas condições na maioria dos casamentos do passado. Esse mesmo estado coletivo de consciência também criou condições kármicas, pré-requisitos para uma orientação específica durante encarnações seguintes. Por exemplo, o antagonismo geralmente existente entre homens e mulheres precisava manifestar-se especificamente entre cada homem e cada mulher em grau muito maior do que hoje. Muitas vezes, duas pessoas estavam predestinadas a se encontrar como possíveis parceiros conjugais. A geração mais velha tomava as providências nesse sentido. Esse tipo de união deu ensejo ao afloramento de sentimentos e atitudes negativos gerais e específicos em cada pessoa; estes, uma vez conscientes, passaram a ser a base de sua própria transformação. Assim, meus amigos, os casamentos feitos no céu não eram absolutamente sempre uniões positivas de amor e afeto, de atração e respeito. A reciprocidade negativa entre muitos homens e mulheres criou a consciência coletiva, as condições kármicas e também os padrões sociais.

Um grande salto na consciência coletiva

Bem recentemente, a consciência deu um grande salto. A humanidade ficou realmente preparada para se desfazer de velhas atitudes e criar novas condições, novos padrões, novos valores morais. Isso pode ser visto claramente em nossos tempos através de muitas mudanças drásticas. O movimento de libertação das mulheres, o movimento de libertação social e uma atitude muito diferente com relação ao casamento são sinais claros de uma nova consciência que aflora. Essas manifestações precisam ser encaradas à luz de uma direção evolutiva global; caso contrário, não é possível captar de fato o significado interior das mudanças.

Em todos os movimentos evolutivos, o pêndulo tende a oscilar de um extremo a outro. Às vezes, esse fato é inevitável; outras vezes é até mesmo desejável, desde que as oscilações sejam limitadas. Mas quando elas são maiores do que o necessário ou o desejável, surgem o fanatismo e a cegueira, exatamente como no outro extremo.

Por exemplo, a liberdade sexual de nossos dias é uma reação à repressão dos tempos antigos. Até certo ponto, essa fase é necessária, enquanto não se completar a sabedoria da nova consciência, enquanto o compromisso com o parceiro passar a ser considerado como uma experiência mais livre, mais liberada e infinitamente mais desejável do que a troca indiscriminada de parceiros. O ciclo passou do compromisso monogâmico involuntário — com as concomitantes limitações ao crescimento pessoal dos homens e das mulheres — ao reconhecimento dos efeitos debilitantes desse estado de coisas e do conseqüente libertinismo e expressão poligâmica. Desse ponto, o movimento pode agora passar para um novo alicerçamento na verdadeira liberdade e independência interior, que opta voluntariamente pelo compromisso monogâmico porque ele produz uma satisfação infinitamente maior.

Um aspecto particularmente pernicioso da velha atitude em relação ao casamento é que a necessidade sexual, bem como a necessidade de companheirismo, foi contaminada por fins oportunistas, materialistas e exploradores. Pior ainda, essa contaminação e esse deslocamento eram encarados como moralmente desejáveis. *Sempre que uma corrente de alma é secretamente colocada a serviço de outra, ambas se tornam negativas.* Se o amor, Eros e o sexo fossem colocados em seus devidos lugares, as necessidades reais de sucesso, de respeito na comunidade e de fartura material poderiam agir à moda do Eu superior. A humanidade teve de se afastar dessa distorção, tornando-se inevitável um certo grau de tumulto. A revolução sexual precisou manifestar-se às vezes de maneira indesejável — mas indesejável apenas quando vista fora de contexto.

Naturalmente, as verdadeiras lições precisam ser aprendidas individualmente. É exatamente dessa lição que estou falando. Os velhos costumes precisam urgentemente de profundas mudanças. *É preciso que apareça uma nova expressão sexual e a aceitação alegre do impulso sexual.* Ao mesmo tempo, cada homem e cada mulher precisam entender a enorme importância do todo formado por amor, Eros e sexo; afeto e respeito; ternura e paixão; confiança e parceria; compartilhamento e ajuda mútua. É preciso, portanto, entender que a defesa do relacionamento comprometido não é um edito moralizante cujo propósito é privar vocês do prazer. Bem ao contrário. A corrente de poder evocada pela fusão entre amor, respeito, paixão e sexualidade é infinitamente mais extasiante do que qualquer fusão acidental poderia ser. Ela é tão forte, na verdade, que as próprias autoridades contra quem houve tanta rebeldia temem, mais que ninguém, essa corrente combinada. Essas autoridades não estão muito distantes daqueles que se permitem sentir a sexualidade apenas na forma cindida, sem ligação com os sentimentos, ignorantes da verdadeira intimidade e partilha.

A meta final

É importante conhecer o estado no qual vocês podem e devem ingressar, pois este é seu destino. Sem este mapa, não é possível pilotar o navio. Mas existe uma diferença sutil, porém marcante, entre acompanhar organicamente este modelo e tentar forçar ser o que vocês ainda não são. Aceitem que vocês não podem ser imediatamente a pessoa ideal, totalmente unificada. *Vocês sabem que é preciso muito tempo, muita experiência, muitas lições, muita tentativa e erro e inúmeras encarnações para que a alma se transforme num ser completo. Vocês precisam saber agora que existe esse estado, mesmo que ainda sejam bastante incapazes de vivê-lo.* Precisam saber, sem se pressionarem, sem sermões, sem desânimo. Todas essas atitudes forçadas são destrutivas e errôneas.

A tentativa de impor um padrão ideal, que as pessoas não têm condições de obedecer, infelizmente foi feita por quase todas as religiões organizadas. É por isso que a religião organizada é objeto de tamanho repúdio na atualidade. O estado de integridade deve ser trazido suavemente à consciência. Jamais deve se transformar num açoite. Deve apenas ser um lembrete de quem vocês realmente são; o que vocês já são em essência serão um dia no todo.

Assim como é bobagem aderir ao ateísmo devido aos erros da religião, é bobagem descartar totalmente o casamento devido a distorções anteriores. Antes de o casamento começar a ser questionado por muita gente como instituição válida, a atitude em relação a ele já tinha começado a mudar consideravelmente, em especial nas últimas décadas. As pessoas começaram a escolher seus parceiros com liberdade, em geral motivadas pelo amor. Isto também levou, muitas vezes, a erros. As pessoas que eram jovens e imaturas demais para formar uma união realmente significativa escolhiam parceiros com base na atração superficial, sem conhecer a fundo nem a si mesmas nem ao parceiro. Não é surpresa que casamentos assim não sobrevivessem. Mas este passo era necessário para a maturidade.

Assim como as pessoas só aprendem errando, o mesmo acontece com a consciência coletiva. Novos costumes precisam ser testados pelas duas pessoas antes de a alma atingir a sabedoria e a verdade. A liberdade de escolher com independência, de sentir o prazer sexual e erótico, de cometer erros e de aprender com eles, de formar relacionamentos diferentes e mais maduros como parte do processo de crescimento, sem condenar os menos amadurecidos, tudo isso é necessário para entender a verdadeira importância do casamento. Ele deve ser encarado, não como a imposição de algemas por parte de uma autoridade moralizante, externa ou interna, mas como uma dádiva livremente escolhida, como o maior, o mais desejável estado imaginável, o mais agudo prazer e satisfação, que exigem que a alma e a personalidade tenham se tornado fortes, flexíveis, maduras e capazes. *O contentamento, o êxtase e o prazer supremo não podem existir gratuitamente, não podem ser roubados. Não podem surgir assim. Só podem surgir quando a personalidade alcança um grau suficiente de purificação, de segurança, de fé, de autoconhecimento, de compreensão do universo — o estado de Cristo.*

A liberação sexual precisa passar por alguns estágios que podem parecer exagerados ou que podem até ser exagerados, antes que a libertação sexual mais avançada — a unificação entre amor, Eros e sexo — possa dar origem ao novo casamento. Encontros sexuais acidentais não devem ser encarados como o estágio final da liberação. Eles são, no máximo, uma fase muito temporária e limitada. Ninguém que já tenha passado por esse

188

estágio se satisfez de fato com ele, nem mesmo no nível físico. Vocês podem se iludir pensando que é o melhor que podem esperar sentir, mas não é. Podem negar o anseio insatisfeito mais profundo, porque outro anseio, até então insatisfeito, foi mitigado. Mas ainda é preciso avançar muito para darem a si mesmos aquilo de que realmente precisam, aquilo que realmente querem, desejam e devem ter.

Como aconteceu com a revolução sexual, a libertação das mulheres também teve de ir a uma espécie de extremo — pelo menos temporariamente. Assim, algumas mulheres precisaram tornar-se tão duras e inflexíveis como o seu maior inimigo, o homem, para poderem sentir sua força, sua capacidade de serem independentes, responsáveis, criativas e engenhosas. Enquanto esta for uma fase passageira, da qual brotarão mudanças adicionais, tudo bem. Mas quando ela é encarada como o ideal final, torna-se tão prejudicial quanto ser a mulher-criança reprimida e dependente que vocês já não querem nem precisam ser. A nova mulher combina independência, responsabilidade por si e maturidade plenamente desenvolvida com a suavidade e a aquiescência que antes eram associadas exclusivamente à parasita dependente. O novo homem combina os sentimentos de seu coração, a suavidade e a gentileza com a força e a capacidade, não como a mulher, mas de forma complementar. Esses dois podem formar o novo casamento.

O novo casamento de fusão e transparência

O novo casamento não acontecerá no início da vida. Se os parceiros forem jovens, já terão conquistado um considerável grau de maturidade como resultado do trabalho interior autêntico e intenso, como este caminho. O novo casamento é um núcleo de força, no qual os parceiros fortalecem um ao outro e a outras pessoas, na tarefa comum por uma causa maior. O novo casamento é totalmente aberto e transparente. Não há segredos de nenhum tipo. Os processos da alma dos parceiros são totalmente expostos. Esse tipo de abertura e transparência precisa ser aprendido. Este é um caminho dentro do caminho, por assim dizer. Falem a respeito da dificuldade para chegar a essa abertura, em vez de tentar negá-la ou escondê-la. Parte da abertura consiste em revelar o medo da forte corrente espiritual, das forças liberadas pela unificação da sexualidade e do coração. Quando o medo é exposto — mesmo que ainda não seja possível desembaraçar-se dele — os obstáculos são eliminados com relativa rapidez, e uma vibrante satisfação é o corolário da abertura.

No novo casamento, estar no caminho do profundo autodesenvolvimento e trazer à luz as partes ocultas do eu são pré-requisitos da satisfação num relacionamento vivo e vibrante. Quando a vibração reflui, é preciso que os dois parceiros, juntos, investiguem a causa. Pode haver um sem-número de razões para a estagnação, nenhum deles necessariamente mau ou vergonhoso.

Quando todos os níveis das duas personalidades estão abertos para o outro, quando eles se juntam e, finalmente, se fundem, a intensidade e a vibração do encontro sexual ultrapassa tudo o que vocês são capazes de imaginar. Há um anseio profundo por essa satisfação, porque ela é de vocês por direito de nascença, é o seu destino. Ela só pode existir numa parceria como a que descrevi. Esse tipo de fusão não é fácil de conseguir. É o resultado de infinita paciência, crescimento, mudança, transformação. Mas deve estar viva na mente de vocês como uma possibilidade a ser concretizada um dia.

A fusão em todos os níveis da personalidade significa a fusão de todas as energias corporais. Este é um caso muito raro. Vocês virão a saber quando existe fusão apenas no plano físico e quando ela acontece nos planos emocional, mental e espiritual. Todas essas energias corporais existem na realidade e podem fundir-se ou não, de acordo com as condições predominantes. *Quando a fusão ocorre em todos os níveis, vocês não se unem apenas ao parceiro, mas também a Deus.* Vocês vêem Deus no parceiro e em si mesmos. Não é surpresa que a corrente de poder seja impossível de suportar enquanto as personalidades não atingem um grau elevado de desenvolvimento interior e purificação.

Depois que vocês perceberem que a fusão sexual é insuficiente e desinteressante se não englobar todas as energias físicas no processo de união, vocês enfocarão o encontro sexual sob um prisma muito diferente. A união sexual jamais será acidental ou aleatória; *vocês a considerarão um ritual sagrado.* Esses rituais serão criados por cada casal, e poderão mudar com o tempo. Jamais se degradarão ao nível de rotinas fixas. O encontro sexual é a verdadeira fusão dos princípios masculino e feminino como forças universais. Cada fusão sexual será um ato criativo, trazendo à tona novas formas espirituais, novas alturas de desenvolvimento dos dois eus, que podem ser transmitidas a outras pessoas. A combinação complementar desses dois aspectos divinos — as forças feminina e masculina — criará não apenas satisfação total, êxtase e felicidade, mas novos e duradouros valores e uma verdadeira experiência da realidade divina, ou de Cristo no eu e no outro.

Meus amados amigos, esta palestra deve servir de incentivo para vocês, por mais que pareçam estar distantes de atingir o destino aqui esboçado. Vocês estão caminhando na direção certa pelo simples fato de serem capazes de compreender. Usem esse conhecimento da forma mais positiva, estejam onde estiverem. Saibam que esta verdade irá libertá-los, como qualquer verdade o faz, mesmo que a concretização disso tudo ainda não seja possível. Alegrem-se, pois a fusão completa existe e está à espera de vocês.

Com isto, eu os abençôo, meus amados. O Cristo, no mais profundo da alma de vocês, funde-se com a consciência de Cristo e com as energias que os cercam e enchem de amor, de energia e de bênçãos.

Notas sobre os textos

Cada capítulo deste livro é uma versão editada de uma ou mais palestras do Guia. Algumas foram ligeiramente resumidas; outras foram bastante reduzidas. Como os títulos dos capítulos nem sempre são iguais aos títulos originais das palestras, damos aqui uma lista dos números dos capítulos e os números e títulos correspondentes das palestras.

O Capítulo 1. Relacionamento, é a segunda parte da palestra 106, *"Tristeza e depressão — Relacionamento"*, com um parágrafo da palestra 149, *"O impulso cósmico para a evolução"*.

O Capítulo 2. Os Princípios Masculino e Feminino no Processo Criativo, é a palestra 169.

O Capítulo 3. As Forças do Amor, de Eros e da Sexualidade, é a palestra 44. Esta palestra apareceu também em *The Pathwork of Self-Transformation,* Bantam 1990.

O Capítulo 4. A Importância Espiritual do Relacionamento, é a palestra 180. Esta palestra também apareceu em *The Pathwork of Self-Transformation.*

O Capítulo 5. Reciprocidade: Lei e Princípio Cósmico, é a palestra 185.

O Capítulo 6. O Desejo de Ser Infeliz e o Medo de Amar, é uma combinação das palestras 58, *"O desejo de ser feliz e o desejo de ser infeliz"*, e 72, *"Medo de amar"*.

O Capítulo 7. O Desejo Válido de Ser Amado, é a segunda parte da palestra 69, com uma resposta à pergunta da palestra 75, *"Perguntas e respostas"*.

O Capítulo 8. Objetividade e Subjetividade no Relacionamento, é a segunda parte da palestra 42.

O Capítulo 9. A Compulsão de Recriar e Superar as Mágoas da Infância, é a palestra 73. Esta palestra também apareceu em *The Pathwork of Self-Transformation* e em *Fear no Evil,* Pathwork Press, 1993.

O Capítulo 10. A Ligação da Força Vital às Situações Negativas, é a segunda parte da palestra 135, "*Mobilidade no relaxamento — Ligação da energia vital a situações negativas*" mais uma parte da palestra 49, "*Culpa: justificada e injustificada — obstáculos do caminho*". Esta parte da palestra 135 também aparece em *Fear no Evil.*

O Capítulo 11. A Vida, o Amor e a Morte, é a palestra 123, "*Como superar o medo do desconhecido*".

O Capítulo 12. Da Interação Negativa e Inconsciente à Escolha Consciente do Amor, é a palestra 202, "*Interação psíquica da negatividade*", mais uma pergunta e resposta da palestra 133, "*O amor como movimento espontâneo da alma*".

O Capítulo 13. Fusão: O Significado Espiritual da Sexualidade, é a palestra 207.

O Capítulo 14. A Nova Mulher e Novo Homem, é a palestra 229, "*A mulher e o homem da Nova Era*".

O Capítulo 15. O Novo Casamento, é a palestra 251, "*O casamento na Nova Era*".

Relação de palestras do Pathwork

1. O mar da vida
2. Decisões e testes
3. Escolha o seu destino
4. O cansaço do mundo
5. A felicidade como elo na cadeia da vida
6. O lugar do homem nos universos espiritual e material
7. Pedir e dar ajuda
8. O contato com o mundo dos espíritos de Deus — mediunidade
9. A prece do Senhor
10. Encarnações masculinas e femininas — seu ritmo e suas causas
11. Conhece-te a ti mesmo
12. A ordem e a diversidade dos mundos espirituais — o processo de reencarnação
13. Pensamento positivo
14. O Eu superior, o eu inferior e a máscara
15. Influência entre o mundo espiritual e o mundo material
16. Alimentação espiritual
17. O chamado
18. O livre-arbítrio
19. Jesus Cristo
20. Deus — a criação
21. A queda
22. Salvação
25. O caminho
26. Descubra seus defeitos
27. A fuga do caminho também é possível
28. Comunicação com Deus
29. Atividade e passividade
30. Voluntarismo, orgulho e medo
31. Vergonha
32. Tomada de decisões
33. Preocupação com o eu
34. Preparo para reencarnar
35. Volte-se para Deus
36. A prece
37. Aceitação — dignidade na humildade

38. Imagens
39. Descoberta de imagens
40. Mais sobre imagens
41. Imagens — o dano que causam
42. Objetividade e subjetividade
43. Três tipos básicos de personalidade: razão, vontade e emoção
44. As forças do amor, Eros e o sexo
45. Desejos conscientes e inconscientes
46. Autoridade
47. A parede interior
48. A força vital
49. Culpa: justificada e injustificada — obstáculos no caminho
50. O círculo vicioso
51. Opiniões independentes
52. A imagem de Deus
53. Amor-próprio
55. Três princípios cósmicos: expansão, restrição e imobilidade
56. Motivações saudáveis e doentias do desejo
57. A imagem de massa da importância pessoal
58. O desejo de ser feliz e infeliz
60. O abismo da ilusão — liberdade e responsabilidade pessoal
62. O homem e a mulher
64. Vontade exterior e vontade interior
66. A vergonha do Eu superior
68. Repressão de tendências criativas — processos mentais
69. O desejo legítimo de ser amado
71. Realidade e ilusão
72. O medo de amar
73. A compulsão a recriar e superar mágoas da infância
74. Confusões
75. A grande transição no desenvolvimento humano
77. Autoconfiança — sua verdadeira origem
80. Cooperação — comunicação — união
81. Conflitos no mundo da dualidade
82. A conquista da dualidade simbolizada pela vida e morte de Jesus
83. A auto-imagem idealizada
84. Amor, poder e serenidade

85. Autopreservação e procriação
86. Os instintos de autopreservação e procriação em conflito
88. Verdadeira e falsa religião
89. O crescimento emocional e sua função
90. Moralização — necessidades
92. Abandone as necessidades cegas
93. A imagem principal — necessidades e defesas
94. Conceitos divididos geram confusão — neurose e pecado
95. Alienação de si — como voltar ao eu real
96. Preguiça, sintoma de alienação de si
97. O perfeccionismo obstrui a felicidade — a manipulação das emoções
98. Fantasias de realização de desejos
99. Impressões falsificadas dos pais, sua causa e sua cura
100. Enfrente a dor dos padrões destrutivos
101. A defesa
102. Os sete pecados capitais
103. Os males de amar demais — vontade construtiva e destrutiva
104. O intelecto e a vontade como instrumentos que dificultam a realização pessoal
105. O relacionamento do homem com Deus em vários estágios de seu desenvolvimento
106. A tristeza comparada com a depressão — relacionamento
107. Três aspectos que impedem o homem de amar
108. A culpa fundamental por não amar — obrigações
109. Saúde espiritual e emocional como retribuição pela culpa real
110. Esperança e fé
111. Substância da alma — como lidar com as exigências
112. A relação do homem com o tempo
113. A identificação com o eu
114. A luta: saudável e doentia
115. Percepção, determinação e amor como aspectos da consciência
116. A consciência sobreposta
117. Vergonha e problemas não-resolvidos
118. Dualidade pela ilusão — transferência
119. Movimento, consciência, experiência: prazer, a essência da vida
120. O indivíduo e a humanidade
121. Deslocamento, substituição, sobreposição
122. Auto-satisfação pela realização pessoal como homem ou mulher

123. Como superar o medo do desconhecido
124. A linguagem do inconsciente
125. A transição da corrente do não para a corrente do sim
126. O contato com a força vital
127. Os quatro estágios de evolução: reflexo, percepção, compreensão e sabedoria
128. As cercas que o homem constrói pelas alternativas ilusórias
129. Vencedor e perdedor
130. Abundância e aceitação
131. Expressão e impressão
132. A função do ego no relacionamento com o eu real
133. O amor como movimento espontâneo da alma
134. O conceito do mal
135. Mobilidade na descontração — ligação da força vital a situações negativas
136. O ilusório medo do eu
137. Controle interno e externo — amor e liberdade
138. Um dilema humano: desejo e medo da proximidade
139. Amortecimento do centro vital pela má interpretação da realidade
140. Ligação ao prazer negativo como origem da dor
141. Volta ao nível original de perfeição
142. O desejo e o medo da felicidade
143. Unidade e dualidade
144. O processo e o significado do crescimento
145. Responda ao chamado da vida
146. O conceito positivo da vida — amar sem medo
147. A natureza da vida e a natureza do homem
148. Positivismo e negativismo: uma só corrente de energia
149. O puxão cósmico para a evolução
150. Amor-próprio como condição do estado universal de bem-aventurança
151. Intensidade, um obstáculo à realização pessoal
152. Ligação entre o ego e a consciência universal
153. A natureza auto-reguladora dos processos involuntários
154. A pulsação da consciência
155. Dar e receber
157. Possibilidades infinitas de experiências prejudicadas pela dependência emocional
158. O ego: cooperação ou obstrução do eu real
159. A manifestação da vida como ilusão dualista

160. A conciliação da cisão interior
161. A negatividade inconsciente obstrui a entrega do ego aos processos involuntários
162. Três níveis de realidade para orientação interior
163. Atividade mental e receptividade mental
164. Outros aspectos da polaridade — egoísmo
165. Fases evolutivas do sentimento, da razão e da vontade
166. Percepção, reação, expressão
167. O centro congelado de vida se anima
168. Duas formas básicas de viver, para perto e para longe do centro
169. Os princípios masculino e feminino no processo criativo
170. O medo da bem-aventurança e o anseio por ela
171. A lei da responsabilidade pessoal
172. Centros de energia vital
173. Práticas para abrir os centros de energia
174. Auto-estima
175. Consciência
176. Como superar o negativismo
177. Prazer, a pulsação total da vida
178. O princípio universal da dinâmica do crescimento
179. Reação em cadeia na dinâmica da vida
180. Significado espiritual do relacionamento humano
181. O significado da luta humana
182. O processo de meditação
183. Significado espiritual da crise
184. Significado do mal e sua transcendência
185. Reciprocidade, lei e princípio cósmico
186. O risco da reciprocidade: força curativa para mudar a vontade interior negativa
187. Alternância dos estados de expansão e contração
188. Afetar e ser afetado
189. Auto-identificação determinada pelos estágios de consciência
190. A experiência de todos os sentimentos, inclusive o medo
191. Experiência interior e exterior
192. Necessidades reais e falsas
193. Resumo dos princípios básicos do Pathwork
194. Mediação: suas leis e vários enfoques
195. Identificação com o eu espiritual para superar a intenção negativa

196. O compromisso: causa e efeito
197. Energia e consciência distorcidas: o mal
198. A transição para a intenção positiva
199. Significado do ego e sua transcendência
200. Sentimento cósmico
201. Desmagnetização dos campos de força negativos
202. Interação psíquica de negatividade
203. Interpenetração da chama divina nas regiões exteriores
204. Que é o Caminho?
205. A ordem como princípio universal
206. O desejo: criativo ou destrutivo
207. O simbolismo espiritual e o significado da sexualidade
208. A capacidade inata de criar
209. A palestra de Roscoe: inspiração para o Pathwork Center
210. Processo de visualização para crescer até o estado unido
211. Eventos externos refletem a auto-criação — três estágios
212. Reivindique a capacidade total de grandeza
213. O passado vai e Deus fica
214. Pontos nucleares psíquicos
215. O ponto do agora
216. Relação das encarnações com a tarefa de vida
217. O fenômeno da consciência
218. O processo evolutivo
219. A mensagem do Natal — mensagem para as crianças
220. Acorde da anestesia ouvindo a voz interior
221. Fé e dúvida em verdade e distorcidas
222. A transformação do eu inferior
223. A Nova Era e a nova consciência
224. Vazio criativo
225. Consciência individual e grupal
226. Perdoar-se sem justificar o eu inferior
227. Mudança da lei externa para a lei interna na Nova Era
228. Equilíbrio
229. Mulher e homem na Nova Era
230. Mudança: Reencarnação no mesmo tempo de vida
231. Educação da Nova Era
232. Viver os valores ou aparentar os valores

233. O poder do mundo

234. Perfeição, imoralidade, onipotência

235. A anatomia da contração

236. A superstição do pessimismo

237. Liderança — a arte de transcender a frustração

238. O pulso da vida em todos os níveis de manifestação

239. Palestra do Natal de 1975 e mensagem de casamento

240. Aspectos da anatomia do amor: amor-próprio, estrutura, liberdade

241. A dinâmica do movimento e a resistência à sua natureza

242. Significado espiritual dos sistemas políticos

243. O grande medo existencial entre os desejos

244. "Estar no mundo sem ser do mundo" — o mal da inércia

245. Causa e efeito

246. Tradição: aspectos divinos e distorcidos

247. As imagens de massa do judaísmo e do cristianismo

248. Três princípios do mal

249. A dor da injustiça

250. Mostrando o déficit — a fé na graça divina

251. O casamento da Nova Era

252. Segredo e privacidade

253. Continuar lutando ou parar de lutar

254. Entrega

255. O processo de nascimento — o pulso cósmico

256. Espaço interior, vazio enfocado

257. Aspectos do influxo divino: comunicação, consciência grupal, exposição

258. Contato pessoal com Jesus Cristo

Estas palestras podem ser obtidas junto aos centros relacionados na página seguinte.

Para maiores informações sobre o Pathwork

Há numerosos Pathwork Centers em atividade e uma rede de vários grupos de estudo e de trabalho com as palestras sobre Pathwork na América do Norte, na América do Sul e na Europa. Acolhemos com alegria a oportunidade de ajudá-lo a estabelecer contato com outras pessoas interessadas em aprofundar-se nesse estudo. Para pedir qualquer palestra ou livros sobre Pathwork, ou para obter mais informações, entre em contato com os centros regionais marcados com um asterisco (*):

Califórnia
Pathwork of California, Inc*
1355 Stratford Court # 16
Del Mar, California 92014
Ph. (619) 793-1246
Fax: (619) 259-5224
E-mail: CAPathwork@aol.com

Região Central dos Estados Unidos
Pathwork of Iowa
24 Highland Drive
Iowa City, Iowa 52246
Ph. (319) 338-9878

Região dos Grandes Lagos
Great Lakes Pathwork*
1117 Fernwood – Royal Oak,
Michigan 48067
Ph./Fax (248) 585-3984

Eixo América-Inglaterra
Sevenoaks Pathwork Center*
Route 1, Box 86 – Madison, Virginia 22727
Ph. (540) 948-6544
Fax: (540) 948-3956
E-mail: SevenoaksP@aol.com

Nova York, Nova Jersey, Nova Inglaterra
Phoenicia Pathwork Center*
Box 66, Phoenicia
New York 12464
Ph. (800) 201-0036
Fax: (914) 688-2007
E-mail: PATHWORKNY.ORG

Noroeste
Northwest Pathwork
811 NW 20th, Suite 103-C Portland,
Oregon 97209
Ph. (503) 223-0018

Filadélfia
Philadelphia Pathwork
901 Bellevue Avenue
Hulmeville, Pennsylvania 19407
Ph. (215) 752-9894
E-mail: dtilove@itw.com

Sudeste
Pathwork of Georgia
120 Blue Pond Court –
Canton, Georgia 30115
Ph./Fax (770) 889-8790

Sudoeste
Path to the Real Self/Pathwork
Box 3753 – Santa Fe,
New Mexico 87501
Ph. (505) 455-2533

Estados Unidos
Pathwork Foundation
P.O. Box 6010, Charlottesville,
VA 22906-6010 – USA
Tel.: (434) 817-2660
E-mail: pathworkfoundation@pathwork.org
http://www.pathwork.org

Pathwork Brasil
http://www.pathwork.com.br

Brasil
Pathwork Regional Bahia
Bahia, Ceará, Pará
Av. ACM, 2501, Sala 412/Candeal
41288-900 – Salvador – BA
Tel./Fax: (71) 3353-7091
E-mail:pathworkbahia@yahoo.com.br
http://www.pathworkba.com.br

Brasil
Pathwork Regional São Paulo
Rua Roquete Pinto, 401
05515-010 – São Paulo – SP
Fone: (11) 3721-0231
E-mail:pathwork@pathwork.com.br
http://www.pathworksp.com.br

Brasil
Pathwork Regional Paraíba
Paraíba, Pernambuco e Alagoas
Rua Josias Lopes Braga, 497
Bairro Bancários
58051-800 – João Pessoa
Paraíba – PB
Tels. (83) 3235-5188/9967-8303/3224-2362
E-mail:claubetenobrega@terra.com.br

Brasil
Pathwork Regional Brasília
Brasília e Goiânia
Setor Terminal Norte, Conj. 0,30
Centro Clínico Life Center, sala 113
70630-000 – Brasília – DF
Tel: (61) 3340-5253
E-mail: eloisaprata@brturbo.com.br

Brasil
Pathwork Regional Sul
Rio Grande do Sul e Santa Catarina
Av. Iguaçu, 485/401
90470-430 – Porto Alegre – RS
Tel: (51) 9963-0623
http://www.pathworksul.com.br

Brasil
Pathwork Regional Rio
Rio de Janeiro e Espírito Santo
Rua Duque Estrada da Barra, 57 –
Apto. 102 – Gávea
22451-090 – Rio de Janeiro – RJ
Tel: (21) 2529-2322/8224-4333
E-mail: gmdell@globo.com
http://www.pathworkrio.com.br

Brasil
Pathwork Regional Minas Gerais
Rua Santa Catarina, 1630 – Pilotis
Bairro de Lourdes
30170-081 – Belo Horizonte – MG
Tel: (31) 3335-8457
E-mail: rnlac@terra.com.br

Luxemburgo
Pathwork Luxembourg
L8274 Brilwee 2
Kehlen, Luxembourg
Ph. (352) 307328

Países Baixos
Padwerk
Amerikalaan 192
3526 BE Utrecht
The Netherlands
Ph./Fax (035) 6935222
E-mail: Trudi.groos@pi.net

Uruguai
Uruguai Pathwork
Mones Rose 6162
Montevideo 11500, Uruguay
Ph. (598) 2-618612
E-mail: lgf@adinet.com.uy

Argentina
Pathwork Argentina
Castex 3345, piso 12 – Cap. Fed.
Buenos Aires, Argentina
Ph. 0054-1-801-7024

Canadá
Ontario/Quebec Pathwork
P. O. Box 164
Pakenham, Ontario K0A - 2X0
Ph. (613) 624-5474

Alemanha
Pfadgruppe Kiel
Ludemannstrasse 51
24114 Kiel, Germany
(0431) 66-58-07

Holanda
Padwerk*
Boerhaavelaan 9
1401 VR Bussum, Holland
Ph./Fax (03569) 35222

Itália
Il Sentiero*
Via Campodivivo, 43 – 04020 Spigno
– Saturnia (LT) Italy
Ph. (39) 771-64463
Fax: (39) 771-64693
E-mail: crisalide@fabernet.com
http://www.saephir.it./crisalide.

Mexico
Pathwork Mexico
Pino # 101, Col Rancho Cortes
Cuernavaca, Mor 62120 Mexico
Ph. 73-131395
Fax: 73-113592
E-mail: andresle@infosel.net.mx

Há traduções do material sobre Pathwork disponíveis em holandês, francês, alemão, italiano, português e espanhol.

O CAMINHO DA AUTOTRANSFORMAÇÃO

The Pathwork of Self-Transformation

Eva Pierrakos

"*O Caminho da Autotransformação*, de Eva Pierrakos, me acompanha há vinte anos. É o trabalho espiritual mais profundo e eficiente que encontrei, e tem me ajudado a realizar os meus sonhos. Cada vez que o leio, fico maravilhada com a profundidade e amplitude de sabedoria e amor que ele ensina. É um caminho de verdade, prático, que modificará a sua vida."

– Barbara Ann Brennan, autora de *Mãos de Luz*.

Eva Pierrakos, nascida Eva Wassermann, é natural da Áustria, em cuja capital, Viena, cresceu, enquanto se adensavam sobre a Europa as nuvens que culminariam na Segunda Guerra Mundial. Entretanto, Eva amava a vida, a natureza, os animais, os prazeres da dança, a prática do esqui e a amizade. Deixando a Áustria, ela passou a viver durante algum tempo na Suíça antes de se fixar em Nova York. Durante esse período, tornou-se o canal de comunicação de um espírito-guia altamente desenvolvido que proferiu a série de palestras que formam o conteúdo deste livro.

Sua história é idêntica à de todos os transmissores da verdade espiritual: primeiro, espanto pela manifestação desse dom especial; depois, relutância em admiti-lo; e, finalmente, humilde cumprimento da tarefa com total devotamento. Discretamente, Eva atraiu a si um número sempre crescente de pessoas que se sentiram arrastadas ao caminho da autotransformação ensinado pelo Guia. Trabalhando com seu marido, o psiquiatra John C. Pierrakos, autor de *A Energética da Essência*, Eva desenvolveu o que chamou de *The Pathwork*, basicamente, um Caminho, um método psicológico que conduz ao nosso Deus interior pelo confronto entre nossos demônios e nossos anjos, entre os interesses mesquinhos do ego e nossas forças espirituais.

Mostrando-nos como aceitar-nos plenamente como somos agora e a superar tudo o que bloqueia nossa evolução pessoal e espiritual, este livro oferece-nos um método prático, racional e honesto para atingirmos nossa identidade criativa mais profunda.

EDITORA CULTRIX

NÃO TEMAS O MAL
O Método Pathwork para a Transformação do Eu Inferior

Eva Pierrakos e *Donovan Thesenga*

"*Não Temas o Mal* apresenta a idéia do mal em abordagem prática e moderna que nos ajuda a encarar nossas experiências negativas sob uma nova luz que irá transformar nossa dor pessoal em alegria e prazer."

— Barbara Ann Brennan, autora de *Mãos de Luz*,
publicado pela Editora Pensamento.

"Você não é uma pessoa má. Eu não sou uma pessoa má. Contudo, o mal existe no mundo. De onde ele vem?

"As coisas más que são feitas sobre a Terra são praticadas por seres humanos. Nós não podemos pôr a culpa disso nas plantas ou nos animais, numa doença infecciosa ou em influências nefastas do espaço sideral. Mas, se você e eu não somos maus, quem é mau?

"Aqueles dentre nós que estudaram e praticaram o *Pathwork* de Eva Pierrakos descobriram, com um sentimento de alívio, que esses ensinamentos fornecem o elo perdido que até aqui tem escapado às considerações da religião e da psicologia.

"A vasta maioria das transmissões espirituais da atualidade, ou material canalizado, concentra-se na bondade essencial dos seres humanos, na nossa natureza divina final. E essa é uma mensagem valiosa para o nosso tempo. Mas o que faremos com o nosso "lado escuro"? De onde ele vem, por que é tão difícil de ser tratado e como devemos lidar com ele?

"É nas respostas a essas questões que repousa o valor principal deste livro. A transmissão que veio através de Eva Pierrakos ensina-nos que alguma forma de mal pode ser encontrada no coração de cada ser humano, mas que ele não precisa ser temido ou negado. Um método é oferecido para que possamos ver claramente o nosso "lado escuro", compreender suas raízes e causas e, o que é mais importante, transformá-lo. O resultado dessa transformação será paz no coração humano, e só depois que esta for alcançada é que haverá paz na Terra."

Donovan Thesenga

EDITORA CULTRIX

MEDICINA VIBRACIONAL

Uma Medicina para o Futuro

Richard Gerber, M.D.

Em *Medicina Vibracional*, o dr. Richard Gerber nos leva à compreensão e à aceitação desta nova modalidade de medicina. Neste livro, resultado de mais de doze anos de leituras, estudos e pesquisas, o autor constrói um lúcido modelo do organismo humano, partindo do físico e chegando ao etérico. Depois, ele segue em frente para também incluir no modelo as propriedades e características das energias sutis dos planos espirituais.

Assim, passamos a entender o organismo humano como uma série de campos de energia multidimensionais que se influenciam reciprocamente. Ao desenvolver este modelo em termos científicos e ao endossá-lo com algumas das mais recentes e fascinantes pesquisas clínicas e laboratoriais, *Medicina Vibracional* permite que o leitor aprecie de forma mais plena a linguagem corpo/mente/espírito, cujo desdobramento atual é a medicina holística.

Além de discutir os diversos mecanismos de cura, este livro é também uma introdução e uma nova maneira de encarar a saúde e a doença de modo geral. Trata-se de uma tentativa de ir além do modelo de doença geralmente aceito pela medicina tradicional a fim de compreender de forma mais profunda por que nossos pensamentos e emoções afetam a nossa fisiologia e de que modo terapias tão simples, à base de ervas, de água e essências florais, por exemplo, podem ser agentes de cura tão eficazes.

Medicina Vibracional é, sem dúvida, o mais definitivo e inteligente livro já publicado a respeito da medicina energética, cobrindo todos os campos da arte de curar que se convencionou reunir sob a denominação geral de medicina alternativa.

* * *

O dr. Richard Gerber, graduou-se em medicina pela Escola de Medicina de Wayne State University, em Detroit. Nos últimos doze anos, vem pesquisando métodos alternativos de diagnóstico e de cura, incluindo o uso da fotografia Kirlian para a detecção do câncer. A compilação desses anos de pesquisa forma a base para este livro.

EDITORA CULTRIX

O Eu sem Defesas nos ensina a enfrentar nossa sombra com honestidade e compaixão e a desmantelar nossas defesas pessoais com segurança e sensatez. Aprendemos com ele a perceber e a transformar nossa negatividade inconsciente e a liberar muita energia para criar vidas positivas, úteis e repletas de responsabilidade pessoal.

O Eu sem Defesas descreve o processo do trabalho de transformação pessoal seguindo o método psicológico do *Pathwork*, criado por Eva Pierrakos. Em suas páginas, a autora conta histórias inspiradoras de pessoas que transformaram problemas crônicos e crises dilacerantes em oportunidades de crescimento e de atividades positivas.

O EU SEM DEFESAS

O Método Pathwork para Viver uma Espiritualidade Integral

Susan Thesenga

"Este livro de Susan Thesenga é leitura obrigatória para todos os que desejam a transformação e a purificação pessoal, bem como a evolução humana. O livro apresenta a estrutura básica por meio da qual conquistamos a busca de nós mesmos e a mudança rumo à totalidade e à saúde."

– Babara Ann Brennan, autora de *Mãos de Luz* e de *Luz Emergente*.

SUSAN THESENGA ajudou muitas pessoas a transformar suas defesas e a viver com mais coragem e alegria. Nos anos 60, lecionou na Universidade de Howard, lutou pelos direitos civis no Mississippi e tornou-se adepta do Zen-budismo. Em 1972, conheceu Eva Pierrakos, cujas palestras sobre o *Pathwork* serviram de orientação para os anseios de sua alma. Desde essa época, tem estado profundamente envolvida no trabalho iniciado por Eva e John Pierrakos como mestra conselheira e escritora. Atualmente, mora com o marido Donovan e a filha Pamela em Madison, Virginia, no Sevenoaks Pathwork Center, que o casal fundou em 1972.

* * *

"*O Eu Sem Defesas* é um livro profundamente tocante, uma obra corajosa e de dedicação pessoal ao processo espiritual do crescimento por meio do confronto pessoal com a verdade interior."

– John Pierrakos, criador da *Core Energetics*

EDITORA CULTRIX

Entrega ao Deus Interior nos faz transcender o crescimento pessoal e questionar de forma muito mais profunda o sentido da vida e a realidade espiritual: *Por que estou aqui?, Qual é o meu objetivo na vida?, Faço parte de algo maior e mais duradouro?*

Donovan Thesenga explica que "nossa tarefa como seres humanos é construir pontes, fazer o trabalho necessário para transcender a ilusão de que somos seres separados e solitários", e assim dar um passo em direção à realidade muito maior da consciência de unidade em meio à aparente multiplicidade.

Entrega ao Deus Interior explica com clareza como podemos fazer essa grande transição na consciência humana, avançando rumo à paz interior que provém do conhecimento intuitivo e passando a viver no lugar a que verdadeiramente pertencemos no universo.

ENTREGA AO DEUS INTERIOR

O Pathwork no Nível da Alma

Eva Pierrakos – Donovan Thesenga

"*Entrega ao Deus Interior* é uma leitura obrigatória para todos que querem entrar em sintonia com um crescimento mais profundo e transformador rumo à entrega total à divindade interior."

Barbara Ann Brennan, autora de *Mãos de Luz*, publicado pela Editora Pensamento e de *Luz Emergente*, publicado pela Editora Cultrix.

"Excelente... Eu recomendo este livro com veemência."

John Pierrakos, MD, criador da *Core Energtics*

"O Pathwork é uma contribuição genuína e importante para a espiritualidade prática do dia-a-dia. É sempre um acontecimento quando surge mais um livro que segue essa tradição. *Entrega ao Deus Interior* faz isso de uma forma especial e convincente."

David Spangler, autor de *Um Peregrino em Aquário*, publicado pela Editora Pensamento.

EDITORA CULTRIX

Impresso por :

Graphium
gráfica e editora

Tel.:11 2769-9056